スラスラ

反射的に言える

話すための瞬間英作文シャッフルトレーニング

森沢洋介＝著

If you want to meet him,
I will ask him to come tomorrow.
Have you ever heard him speak English?
How many hamburgers did the man
you saw at the restaurant eat?

はじめに

英語を自由に話せるようになるためには、基本文型の駆使能力を身につけることが欠かせません。この能力をつけるためには、基本文型を使った短文英作文を行うことが、非常に効果的です。伝統的なこの方法は、しかし、その地味さゆえに、多くの学習者の死角に入り、見過ごされてきた感があります。

前著「どんどん話すための瞬間英作文トレーニング」で、極めて有用ながら埋もれがちな、この学習法に、新たな光を当てることができ、またその効果を多くの学習者に再認識していただけたことは大きな喜びです。

本書では、口頭で素早く、基本文型による英作文を行うというトレーニング手法は踏襲しつつ、基本文型の底力を如何なく発揮させるための、1歩進んだ応用トレーニングを紹介します。

第1部の文型シャッフルトレーニングでは、同じ文型が続く配列ルールを取り払い、次々と異なった文型で英作文を行います。これにより、実用の場で要求される、必要な文型を瞬時に引き出す反射神経を磨きます。

第2部の文型コンビネーショントレーニングでは、1つの文に複数の文型を使う英作文を行い、文型を必要に応じて結合する応用力を養います。このトレーニングで、込み入った内容を英語で表現するのに、いたずらに難構文や難しい単語に頼る必要はないことを理解するとともに、基本文型の持つ無限の応用性を実感していただけるでしょう。

学習者の方々が、機動性と応用力に富んだ瞬間英作文回路を完成させる上で、本書が大いにお役に立てることを願って止みません。

もくじ

スラスラ話すための瞬間英作文シャッフルトレーニング

瞬間英作文トレーニングとは

「わかっている」を「できる」にする

この本を手にとった人は、英語を自由に話せるようになりたいという願望を持っていることでしょう。この願望を叶えるために、それなりに努力もしたかもしれません。英会話学校に通ったり、表現集で会話表現を暗記してみたり。でも、成果は満足できるものではなかったのではないでしょうか。

英語力の他の側面がかなりのレベルにある人でも、英語を話す能力だけが遅れてしまうことが多いものです。受験勉強などで、抽象的で難解な英文を読み解く能力を身につけていても、簡単な英文さえ、反射的には口から出てこない、あるいは相手が話す英語はだいたいわかる聴き取り能力はあるのに、自分が話すとなるとうまくいかず、スムーズな会話が成立しないというフラストレーションは、私自身が経験したことなのでよく理解できます。

所詮、英語を話すということは、留学などで長期間、英語圏で暮らさない限り叶わないことと嘆息したくなりますが、諦めるのは早すぎます。発想を変え単純なトレーニングを行いさえすれば、日本を一歩も出なくても、英語を話せるようになります。

それなりに英語を勉強してきたのに話すことはからきし、という行き詰まりを打破するのに極めて効果的なのが、**瞬間英作文**というトレーニングです。方法は極めて単純で、中学で習う程度の文型で簡単な英文をスピーディーに、大量に声に出して作るというものです。「馬鹿にするな。中学英語なんかもうわかっている」という声が聞こえてきそうです。それでは、ちょっとテストしてみましょう。

あなたは次のような日本語文をばね仕掛けのように即座に口頭で英語に換えられますか？

① 学生の時、私はすべての科目の中で数学が一番好きだった。
② 君はあの先生に叱られたことがある？
③ 昨日僕たちが会った女の人は彼の叔母さんです。

どうでしょうか？　瞬間的に口から出すのはなかなか難しいのではないでしょうか？　しかし、英語を話せる話せないを分ける分水嶺はこうしたことができるかできないかです。

英文例を挙げておきましょう。

① When I was a student, I liked mathematics（the）best of all the subjects.
② Have you ever been scolded by that teacher?
③ The woman（whom / that）we saw yesterday is his aunt.

英文を見てしまうと「なーんだ」というレベルでしょう。しかし、英文を見ればなんなく理解できるけれど、自分では口頭で即座に作れないという人は、**中学英語が「わかる」から「できる」に移行していない**のです。英語を話せる人というのは、自然な経験を通じてだろうと、意識的な訓練によってだろうと、必ずこうした基本文型の使いこなしをマスターしています。

簡単な英文を楽にたくさん作って英作文回路を作る

そもそもなぜ多くの学習者は本来単純なこのトレーニング方法を見過ごしてしまうのでしょうか？　大きな原因の1つは、英語が学校や受験の科目になっていることです。学課というものは学生の知的能力を伸ばすことが目的ですから、その成果を測るテストはあくまでも知的な理解を確かめるものだけとなりがちです。ですから、自然な言語使用では絶対条件となるスピードを身につけることはおろそかにされ、知的な理解が得られただけで次々により難しいレベルに移っていき、結果として、ネイティブ・スピーカーでも敬遠するような難解な英文を読み解けるのに、簡単な会話さえままならないという悲喜劇が生じることになります。

英語を言葉として自由に使いこなすという目的から見た非現実さは、100メートルを1分かけて走るのに例えられます。オリンピック選手は100メートルを10秒前後で駆け抜け、小学生でも20秒以内で走ることができます。英語を難解な文法パズルと考えることから脱却して簡単な文をスピーディーに大量に作ってみてください。そうすれば、逃げ水のように捉えがたかった「英語を話せるようになる」という目標は達成されるのです。

「英文を大量に作るなんてしんどい」という人は、まだ英語を学課としてしか見ない呪縛から解き放たれていません。瞬間英作文は、受験勉強の構文暗記や英作文とは全く違います。学課英語では、基本的な文型に習熟することなく、やたらと複雑な文を覚えようとしますから、いきおい理解・実感の伴わないゴリゴリとした暗記になってしまいます。また大学受験の英作文問題の多くは長大で抽象的な内容で、基本文型の使いこなしさえできないほとんどの受験生にとっては手の届かないレベルです。まるで、大学受験のレベルとはかくあるべきという大学側の面子で出題されているとさえ思えるものです。受験生の大半は、整然とした英文を書くことなどできませんから、英作文問題は捨てるか、ところどころで部分点を稼ぐことで精一杯です。

瞬間英作文で行うのは次のようなものです。

① あれは彼のかばんです。 →That is his bag.
② これは彼女の自転車ですか？ →Is this her bicycle?
③ これは君の本ですか？ →Is this your book?
④ あれは彼らの家ではありません。 →That is not their house.
⑤ これはあなたの部屋ではありませんよ。
→This is not your room.

引き金となる日本語を見て英語を口にすることは暗記という感じではないでしょう。中学英語が頭に入っている人にとっては文型や語彙のレベルでまったく負荷がかからないし、同じ文法項目が連続的に扱われているからです。

瞬間英作文トレーニングではまずこのレベルの英文を文型別に作ることを行います。肝心なのはスピード、量です。多くの学習者はわかっているとはいいながら、上に挙げたような文でも口頭で行うとなると、ばね仕掛けから程遠く、とつとつとした口調になってしまいます。トレーニングを続けて、普通に話すペースで次から次へと英文が口から飛び出してくるようにすることが必要です。

ただ、一旦発想を変え、一定期間トレーニングを行えば、このような**英作文回路**を自分の中に敷設することは大した難事ではありません。今まで見過ごしていたかもしれない瞬間英作文トレーニングに是非取り組んでみてください。あなたの英会話力に革命が起こるに違いありません。

ステージ進行

瞬間英作文トレーニングは3つのステージに分けられます。各ステージで目的とする能力をしっかりつければトレーニングを効率的に進めて行くことができます。

第1ステージ

英作文回路の基礎を作る最初のそして最も重要なステージです。このステージの目標は中学レベルの文型で正確にスピーディーに英文を作る能力を身につけることです。素材としては、文法・文型別に瞬間英作文ができるものを使います。語彙や表現に難しいものが一切入っていない、**英文を見てしまえば馬鹿らしいほど易しいもの**を使ってください。多くの人はここで色気を出して、難しい表現や気が利いた表現をちりばめた例文集を使おうとしますが、これが走り出したばかりのところで躓（つまず）く大きな原因なのです。

when 節を練習する例文として、「販売部長の売上報告を聞いた時、社長は即座に次の四半期の戦略を思い描いた」といった例文を使うと、「販売部長」「売上報告」「四半期」「戦略を思い描く」などという表現を考えたり覚えたりすることでエネルギーを使い、負担がかかってしまいます。これに対し、「彼が外出した時、空は青かった」という程度の例文なら負担がほとんどないので、同じ時間でたくさんの英文を作り出すことができます。そして、英語を自由に話す能力の獲得のためには、簡単な英文をスピーディーに、1つでも多く作った人が勝ちなのです。

高度で気の利いた表現の獲得は第3ステージで取り組む課題です。そして、第1ステージで基本文型を自由に扱える能力を身につけた人ならば、第3ステージで心置きなく、楽々と英語の表現を拡大していくことができます。

第2ステージ

第2ステージでも対象は依然として中学レベルの文型です。しかし、このステージでは第1ステージから一歩進んで、文型別トレーニングから、応用力の養成へと移行します。第1ステージでは同じ不定詞だったら不定詞、受動態だったら受動態というように同じ文型ごとに行っていた瞬間英作文トレーニングを、ばらばらの順番で、あるいは複数の文型が結合した形で行います。第1ステージは同じ文型が並んでいますから、いわば直線コースをまっしぐらに走るようなもので、スピードをつけるのに最適です。

第2ステージでは、文型の転換や結合が目まぐるしく起こるので、まっすぐ走った直後にさっと曲がったり、反転したりと変化の多いコースを走るのに似て、実際に英語を話す時に必要な応用力や反射神経を磨くことができます。

素材としては英文が文型別に並んでおらず、トランプを切るようにばらばらにシャッフルして配置されたものを使用します。ただ、市版の文型集・例文集はほとんどが文法・文型ごとに文が並んでいます。でも、心配することはありません。本来文型集・例文集として作られてはいないものの、シャッフル文例集として使えるものがたくさんあるからです。中学英語テキストのガイドや高校入試用英語長文集がそれです。これらは内容が会話や物語の体裁になっているので同じ文型が連続して並んでいることがなく、自然のシャッフル教材として使えます。瞬間英作文トレーニングではこれらを使い、日本語訳から逆に英文を再生するのです。

特に高校入試用英語長文集は優れモノです。教科書ガイドよりはるかに英文の量が多い上、ガイドが2000円前後と値が張るのに対し非常に廉価です。次々と異なる文型が現れ、文章も長いので非常に力のつく素材です。最初はかなり歯ごたえを感じるでしょうが、文型・語彙・表現はすべて中学レベルなので、記憶力に負担がかかるものではありません。

もちろん個人差はありますが、数冊消化してしまうと、このレベルの英文なら初見でもスラスラ英文が出てくるようになります。ここに至れば第2ステージも完成です。英語を話すために必要な英作文回路があなたの中にしっかりと設置されています。

本書はこの第2ステージ用のトレーニング教材です。

第3ステージ

いよいよ最終段階の第3ステージです。このステージでは第2ステージまではめていた中学文型の枠をはずし、あらゆる文型・表現を習得していきます。とはいっても、中学文型の使いこなしをマスターした後では、かつては難しく感じた構文も実はさしたることはないことを実感できるでしょう。高校以降で習ういわゆる難構文も実は中学文型の結合や、ほんの少し付け足したにすぎないからです。

また、英語の文型というのは無限にあるものではないので、文型の習得はほどなく終わってしまいます。これに対して、語彙・表現というのは数に限りがありません。母語の日本語でさえ、すべての表現を知り尽くすのは不可能です。
表現の豊かさは、年齢や読書量や教養によって大きく異なります。つまり、第3ステージには終了がないのです。目的や目標レベルに合わせ、どれだけ続けていくかは自己判断に委ねられます。

第2ステージまでで英作文回路が完成していますから、新しい語彙・表現をストックしていくことは快適な作業です。対象となる表現が盛られている英文を唱えることはいともたやすいからです。多くの人は英語の勉強とは単語や表現を暗記することだと勘違いして、英作文回路がないのに単語集や表現集の類に取りかかってしまいます。第1ステージ、第2ステージを飛ばして、いきなり第3ステージから始めてしまうわけです。当然、結果は芳しくないものとなります。例文を口にしようとしても、基本的な英文を自由に操作できる体質がありませんから、ゴリゴリした辛い暗記になってしまいます。苦労していくつかの表現を覚えてもそれを差し込むべき文が素早く作れないので、せっかく覚えた表現も記憶の倉庫で埃をかぶり、やがて蒸発してしまいます。

本書で勧めるように、各ステージをしっかり踏んでいけば、このようなループを脱し、無理なく着実に英語を話す力を身につけることができます。第3ステージに足を踏み入れ、しばらくトレーニングを続けた時点で、英語を外国語として十分に使いこなせるようになっているでしょう。第3ステージはいわば収穫のステージと言えます。しかし、豊かな収穫を得るためには、第1ステージでしっかりと土を耕し、種を蒔いておくことが必要です。
＊この項は『どんどん話すための瞬間英作文トレーニング』と共通です。

1
Training

文型シャッフルトレーニング

中学1･2･3年

文型シャッフル編 トレーニングの指針

文型シャッフル英作文の狙い

本編では、瞬間英作文の第2ステージのトレーニングを行います。第1ステージでは、まず基礎固めということで、文型ごとに配列された練習問題を使い、同じ文型を使った英作文を連続的に行いました。第2ステージでは、このような規則的かつ連続的な配列ルールを取り払い、次々と異なる文型が現れる英作文を行います。文型をトランプのように切る（シャッフルする）のです。

ボクシングを習い始めた練習生は、まず、鏡の前でジャブ、ストレート、ダッキング、ヘッド・スリップといった攻防の基本動作を1つずつ繰り返し、正しい技術を身体に染み込ませます。しかし、試合ができるレベルに達するためには、スパーリングという実戦形式の練習を積む必要があります。相手が自由にパンチを打ち込んでくるこの練習を経て、練習生は初めて、反復動作で身につけた個々の技術を、攻防の流れの中で、瞬時に応用的に使っていくことを会得していきます。

サッカーでも、ドリブル、パス、シュートのような基本技術を個々に練習した後、ゲームの流れの中で、瞬間的に、これらの技術のどれを使うか、また、つなぎ合わせるかを会得するための応用的な練習をするでしょう。

これと同じように瞬間英作文トレーニングでも、使用される文型がばらばらに並ぶシャッフル英作文を経て、なにかを言おうとするとき、第１ステージで身体に刻み込んだ文型を、必要に応じて、即座に引き出し、使うアクセス能力、即ち、真の英作文回路を完成させることができます。

１つ注意しておきたいのは、シャッフル英作文を効果的に進めるには、第１ステージのトレーニングが終わり、個々の文型がしっかり身についていることが前提だということです。このステップをとばしてしまうと、文型にアクセスして、引き出そうにも、その引出しに鍵が掛かっていたり、挙句は、強引にこじ開けても、引出しが空っぽということになります。最初の一歩は、何にも増して大切です。基本技術の反復練習をしなかったボクシング練習生がいきなりスパーリングに挑んでも、まったく技術を欠いた、素人の喧嘩のようになってしまうのと同じです。

本編のトレーニング法

本編のシャッフル英作文トレーニングは、基本的には、次のように行うといいでしょう。

①日本語文を見て、口頭で英文を作る

日本語文を、英文を呼び出す引き金として用います。長考せずに、瞬時から数秒のうちに英文を作ってください。第１ステージをしっかりとやりこんだ人なら、どのように英文を作ったらよいのか途方にくれるということは、そう頻繁に起こらないでしょう。しかし、第１ステージでは、約束事で、同文型ごとに編纂された教材を使いますから、どの文型を使うのか、ということはあまり問題になりません。従って、アクセスしにくい文型が分散的に残ることがあります。シャッフル英作文は、こうした、とっさに引き出しにくい、苦手の文型を探し出すのに非常に有効です。

②英文を見て答え合わせ

長々と考え込まず、すぐに模範英文を見て答え合わせをします。ただ、アクセスしにくい苦手の文型でも、第1ステージを終えていれば、模範英文を見て、なぜこのような英文になるか理解・納得することは難しくないでしょう。

③英文を口に落ち着ける

もっとも大切なステップ。理解・納得した英文を、ノーマル・スピードで滑らかに言えるまで、数回唱えて口に落ち着けます。必要なら数回英文を見て音読をして、それから目を離し、数回諳(そら)んじます。このとき、英文が空虚な音にならないように気をつけます。文型理解、意味、そして自分がその英文を主体的に口にしているような実感を込めてください。

ただ、第1ステージを完成している学習者は、模範英文をさっと確認してしまえば、ほとんどの場合、英文を見ずに、いきなり英文を諳んじることができるでしょう。①〜③のステップは第1ステージと同じですが、基本練習を終えていれば、所要回数・時間、負荷が際立って減少します。工作で言えば、第1ステージはパーツの製作や組み立て作業ですが、第2ステージは、最後のヤスリかけ、ニス塗りのようなものです。欠かすことのできない大切な行程ですが、完成一歩手前の作品が目の前にあり、ずっと負担が軽く、楽しい作業です。

このように、トレーニングというものは、基本過程をしっかりやっておくと後に行くほど、しんどさが減り、楽しくなっていくものです。

1ページ10の文について①〜③のステップを行ったら、次のページへと進み、同じ流れで、最後まで全部で500の文のトレーニングを1サイクル終えます。

同じように第2サイクル、第3サイクル…とサイクル回しを重ね、すべての英作文が瞬間的に行えるようにします。

前著『どんどん話すための瞬間英作文トレーニング』では、全体をいくつかの部分に切ってトレーニングする、セグメント分割を紹介しました。第1ステージをはじめたばかりの段階では、とにかく基本文型を身体に定着させたいので、狭い範囲で繰り返し、効率的に刷り込みを起こす工夫です。瞬間英作文では意識的な暗記を極力避けます。学生時代の定期試験の勉強と異なり、言語の使用能力をつけるためには、ごりごりの暗記はほとんど役に立たず、むしろ有害なことの方が多いものです。しかし、第1ステージでは、同じ文型を連続的に扱うほか、このセグメント分割により、目的化しない、自然に起こる記憶をサポートとして使います。

しかし、**第2ステージでは、記憶に頼らず、仕込んだ文型へのアクセス能力を磨くために、基本的に、セグメント分割を行わず、シャッフル編500文全体についてサイクル回しをします。**

CD の使い方

本編の 500 文は、前書『どんどん話すための瞬間英作文トレーニング』と同じく、日本語→ポーズ→英語の順序で録音されています。日本語文を引き金にして、ポーズの間に英文を作成する練習をすると、文字による視覚的な練習とは異なるトレーニング効果を得られます。是非十分に活用してください。

数回文字テキストでサイクル回しをした後、CD を使ったサイクル回しに移って行くと、順調にトレーニングが進められるでしょう。

比較的力のある方は、序盤から CD を使ったトレーニング主体でサイクル回しを進めていってもいいでしょう。

ただ、その場合も、冠詞や、時制、数、前置詞などの細かな間違いには気をつけて、時々テキストで確認することを怠らないでください。

シャッフル英作文 トレーニング手順

❶ 日本語文を見て英作文
❷ 英文を見て答え合わせ
❸ 英文を口に落ち着ける
サイクル回し
❶〜❸
1枚ずつ、
3つのステップを
流れるように行うよ。
10文終わったら
次のページへ。
❶〜❷
日本語を
引き金にして反応する。
決して考え込まないで、すぐに
英文を見て答え合わせ。
❸
最重要ステップ。
ノーマルスピードで、
なめらかに。
500文終わったら、
はじめに戻りサイクル回し。
CDも使ってね！
どんどん負荷が減って
速くなっていくよ！

文型シャッフル英作文
トレーニングの仕方

1つずつ文型が異なる文でトレーニングします。

01 文型シャッフルトレーニング

DISC❶TRACK01

「引き金」の日本文に反射的に反応して英文を作ります。

❶ 誰がこれを料理したの？　―僕だよ。

❷ 僕は昨日図書館に行った。

❸ 彼はどこに行ったらよいのか知っていますか？
―はい、知っています。

❹ あなた方はこの国にどのぐらい住んでいるのですか？

❺ エレンは怒っているかもしれない。

❻ (食卓で)：僕に塩を取ってくれる？　―いいよ。

❼ そのとき、彼女たちは歌い始めました。

❽ 彼らはみんな真実を知っている。

❾ 私の妻は、京都旅行に行きたがっている。

❿ 僕はこの本を読まなければいけませんか？　―そうです。

文字によるトレーニングと併行してCDで音声に反応するトレーニングを行います。

ワンポイントアドバイス　①疑問詞主語　②一般動詞の過去形　③疑問詞+to 不定詞　④現在完了（継続）　⑤助動詞 may（～かもしれない）　⑥依頼の will

022

使うべき文型が指示されています。

CD 日本文…→ポーズ…→英文

ここで瞬間英作文！

❶ Who cooked this? —I did.

❷ I went to the library yesterday.

❸ Does he know where to go?
—Yes, he does.

❹ How long have you lived in this country?

❺ Ellen may [might] be angry.

❻ Will you please pass me the salt? —Sure.

❼ They began to sing then.

❽ They all know the truth.

❾ My wife wants to go on a trip to Kyoto.

❿ Do I have to read this book? —Yes, you do. / Must I read this book? —Yes, you must.

⑦不定詞の名詞的用法　⑧一般動詞の現在形と副詞 all　⑨不定詞の名詞的用法
⑩have to（～しなければならない）。あるいは must。

023

日本語に対応する英文です。答え合わせだけで済ませず、必ず数回、口に落ち着けます。

*本編では中学レベルの文型が使用されています。
学習が終わっていることを前提にしています。

01 文型シャッフルトレーニング

DISC❶TRACK01

❶ 誰がこれを料理したの？　—僕だよ。

❷ 僕は昨日図書館に行った。

❸ 彼はどこに行ったらよいのか知っていますか？
—はい、知っています。

❹ あなた方はこの国にどのぐらい住んでいるのですか？

❺ エレンは怒っているかもしれない。

❻ (食卓で)：僕に塩を取ってくれる？　—いいよ。

❼ そのとき、彼女たちは歌い始めました。

❽ 彼らはみんな真実を知っている。

❾ 私の妻は、京都旅行に行きたがっている。

❿ 僕はこの本を読まなければいけませんか？　—そうです。

ワンポイントアドバイス　①疑問詞主語　②一般動詞の過去形　③疑問詞+to 不定詞　④現在完了（継続）　⑤助動詞 may（～かもしれない）　⑥依頼の will

❶ Who cooked this? —I did.

❷ I went to the library yesterday.

❸ Does he know where to go?
—Yes, he does.

❹ How long have you lived in this country?

❺ Ellen may［might］be angry.

❻ Will you please pass me the salt? —Sure.

❼ They began to sing then.

❽ They all know the truth.

❾ My wife wants to go on a trip to Kyoto.

❿ Do I have to read this book? —Yes, you do. / Must I read this book? —Yes, you must.

⑦不定詞の名詞的用法　⑧一般動詞の現在形と副詞 all　⑨不定詞の名詞的用法
⑩have to（～しなければならない）。あるいは must。

02 文型シャッフルトレーニング

DISC❶TRACK02

❶ あなたの息子さんは背が高いですか？　―はい、そうです。

❷ 君のお姉さんは、あそこによく行くの？　―そうだよ。

❸ 私たちにその写真を見せてください。

❹ 彼はここで働いているのですか？　―いいえ、働いていません。

❺ 彼女は、あなたの妹さんですか？　―いいえ、違います。

❻ できるだけ、高く跳びなさい。

❼ 君は先週勉強しなかったのですか？　―いいえ、しました。

❽ 私は、なぜ彼がドイツ語を勉強しているのか知らない。

❾ あなたは昨日ここに来なかったのですか？　―はい、来ませんでした。

❿ 日本では、ほとんどの中学生は英語を教えられますか？
―はい、そうです。

ワンポイントアドバイス ①be 動詞の疑問文　②一般動詞の疑問文と副詞 often　③SVOO（二重目的語）　④一般動詞の疑問文　⑤be 動詞の疑問文　⑥as～as one can［possible］できるだけ～　⑦一般動詞過去形の否定疑問文

❶ Is your son tall? —Yes, he is.

❷ Does your sister often go there? —Yes, she does.

❸ Please show us the picture. / Please show the picture to us.

❹ Does he work here? —No, he doesn't.

❺ Is she your sister? —No, she isn't.

❻ Jump as high as you can. / Jump as high as possible.

❼ Didn't you study last week? —Yes, I did.

❽ I don't know why he studies German.

❾ Didn't you come here yesterday? —No, I didn't.

❿ Are most junior high school students taught English in Japan? —Yes, they are.

⑧間接疑問文　⑨一般動詞過去形の否定疑問文　⑩受身

03 文型シャッフルトレーニング

DISC❶TRACK03

❶ とうとう、彼は怒った。

❷ その先生は、一生懸命勉強する生徒が好きだ。

❸ 彼は自分の部屋にいなかったですか？　—はい、いませんでした。

❹ 私は、彼にその本を読ませた。

❺ あの少年たちはなんて背が高いのでしょう！

❻ 彼は彼女に会うために公園に行った。

❼ 彼らは彼女が泣くのを聞いた。

❽ 私の母は、歌うのが好きです。

❾ 彼はまだ昼食を食べていない。

❿ あなたのお父さんは、医師ですか？　—はい、そうです。

ワンポイントアドバイス　①一般動詞の SVC　②関係代名詞（主格）　③be 動詞の否定疑問文　④原形不定詞・使役　⑤感嘆文　⑥不定詞の副詞的用

❶ At last he got angry.

❷ The teacher likes students who［that］study hard.

❸ Wasn't he in his room? —No, he wasn't.

❹ I made him read the book.

❺ How tall those boys are!

❻ He went to the park to see her.

❼ They heard her cry.

❽ My mother likes singing.

❾ He hasn't eaten［had］lunch yet.

❿ Is your father a doctor? —Yes, he is.

法（目的）　⑦原形不定詞・知覚　⑧動名詞　⑨現在完了（完了）形の否定文
⑩ be 動詞の疑問文

04

文型シャッフルトレーニング

DISC❶TRACK04

❶ 外国語を学ぶことは面白い。（動名詞主語で）

❷ もっと一生懸命勉強しなさい、さもなければ、試験に落ちますよ。

❸ あなたはコーヒーを１日何杯飲みますか？

❹ あなたの犬は魚を食べますか？

❺ ニューヨークでは雪が降っているに違いない。

❻ 彼は日本語を話しませんか？　―はい、話しません。

❼ あの星はなんて明るいのでしょう！

❽ トムはクラスの中で一番頭がいい。

❾ 彼女は彼がお金持ちだと信じていた。

❿ ボブはまだ寝ているのかもしれない。

ワンポイントアドバイス　①動名詞　②命令文＋or～（…しなさい。さもないと～ですよ）　③how many～の疑問文　④一般動詞現在形の疑問文　⑤助動

❶ Studying foreign languages is interesting.

❷ Study harder, or you will fail（in）the examination.

❸ How many cups of coffee do you drink a day?

❹ Does your dog eat fish?

❺ It must be snowing in New York.

❻ Doesn't he speak Japanese? —No, he doesn't.

❼ How bright that star is!

❽ Tom is the smartest in the class.

❾ She believed that he was rich.

❿ Bob may [might] still be sleeping. / Bob may [might] still be asleep.

詞 must（～に違いない） ⑥一般動詞現在形の否定疑問文 ⑦感嘆文 ⑧最上級
⑨that 節 ⑩助動詞 may（～かもしれない）

05

文型シャッフルトレーニング

DISC❶TRACK05

❶ 彼女は家族のために料理をするのが好きです。

❷ 彼は何歳ですか？　―20 歳です。

❸ 僕は彼女が何歳なのか知らない。

❹ あの割れた窓をごらんなさい。（分詞を使って）

❺ ピアノを弾いている少女はメアリーです。（分詞を使って）

❻ 彼はギターを弾けないのですか？　―いいえ、弾けますよ。

❼ 彼らは結婚 10 年です（10 年結婚している）。

❽ 僕はその本をとても面白いと思った。（find を使用）

❾ 彼らが出発したとき、晴れていた。

❿ 何か筆記用具（書くための何か）を持っていますか？

ワンポイントアドバイス　①動名詞　②how old～の疑問文　③間接疑問文　④過去分詞　⑤現在分詞　⑥助動詞 can　⑦現在完了（継続）　⑧SVOC

❶ She likes cooking for her family.

❷ How old is he? —He is twenty years old.

❸ I don't know how old she is.

❹ Look at that broken window.

❺ The girl playing the piano is Mary.

❻ Can't he play the guitar? —Yes, he can.

❼ They have been married for ten years.

❽ I found the book very interesting.

❾ It was fine［sunny］when they left.

❿ Do you have anything to write with?

⑨when 節　⑩不定詞の形容詞的用法

06

文型シャッフルトレーニング

DISC❶TRACK06

❶ 彼が帰ってきたとき、何時でしたか？

❷ おじさんがアメリカ人であるその少年は、英語が得意だ。

❸ 彼は毎年海外旅行に行くほど（行くのに十分に）お金持ちだ。

❹ 彼女は悲しいのかもしれない。

❺ あなたの奥さんは、日本人ではないのですか？　―はい、違います。

❻ あなたはどのように中国語を学んだのですか？

❼ 兄は起きてからずっと、数学の勉強をしている。

❽ 窓が開いている部屋が見えますか？

❾ 夫が皿を洗っている間、その女性はテレビを見た。

❿ 彼女は１人暮らしするには若すぎる。

ワンポイントアドバイス　①when 節　②関係代名詞（所有格）　③～ enough to…（…するのに十分に～）　④助動詞 may（～かもしれない）　⑤be 動

❶ What time was it when he came back?

❷ The boy whose uncle is American is good at English.

❸ He is rich enough to travel abroad every year.

❹ She may［might］be sad.

❺ Isn't your wife Japanese? —No, she isn't.

❻ How did you learn Chinese?

❼ My brother has been studying mathematics since he got up.

❽ Do you see the room the window of which is open?

❾ The woman watched TV while her husband was washing the dishes.

❿ She is too young to live alone.

詞の否定疑問文　⑥疑問詞 how の疑問文　⑦現在完了進行形　⑧前置詞＋関係代名詞　⑨従属節を導く接続詞（while）　⑩too〜to…（…するには〜過ぎる）

07

文型シャッフルトレーニング

DISC❶TRACK07

❶ あなたのおばあさんは、あなたに会って喜ぶでしょう。

❷ 午後雨が降ると思いますか？

❸ チーズは何で作られますか？

❹ あの女の子たちは彼の娘ですか？　―はい、そうです。

❺ 彼に電話しなさい、さもないと彼は怒りますよ。

❻ 彼らは怒っていないのですか？　―はい、怒っていません。

❼ あなたは、自分の部屋をきれいにしていますか？
―はい、しています。

❽ 私たちはこれらの本を全部買わなければなりませんか？

❾ 彼はあなたと同じくらい頭がいい。

❿ あなたは疲れていますね？

ワンポイントアドバイス　①不定詞の副詞的用法（感情の原因）　②that節　③受身　④be動詞の疑問文　⑤命令文＋or（～しなさい。さもないと…）

❶ Your grandmother will be glad to see you.

❷ Do you think that it will rain in the afternoon?

❸ What is cheese made from?

❹ Are those girls his daughters? —Yes, they are.

❺ Call him, or he will get angry.

❻ Aren't they angry? —No, they aren't.

❼ Do you keep your room clean?
—Yes, I do.

❽ Do we have to buy all these books? / Must we buy all these books?

❾ He is as smart as you.

❿ You are tired, aren't you?

⑥be 動詞の否定疑問文　⑦SVOC　⑧have to または must　⑨原級比較 as～as
⑩付加疑問文

08 文型シャッフルトレーニング

DISC❶TRACK08

❶ その庭は花で覆われている。

❷ なぜあなたはそんなにコーヒーを飲んだのですか？

❸ 僕はちょうど部屋を掃除したところです。

❹ あなたは外国人に話しかけられたことがありますか？

❺ その老人は、朝食の後、川沿いを散歩するのが好きです。

❻ 彼女は、自分が正しいと思っている。

❼ この猫は誰に世話されますか？

❽ 君はまだ宿題をやってないの？　―うん、やってない。

❾ 彼は娘にコーヒーをいれてもらった。

❿ 母はいつも僕に、もっと注意深くなるようにと言う。

ワンポイントアドバイス　①受身　②疑問詞 why の疑問文　③現在完了（完了）　④現在完了（経験）の受身　⑤動名詞　⑥that 節　⑦疑問詞を含む受身　⑧現在完了の否定疑問文　⑨使役の原形不定詞　⑩SVO＋to 不定詞

❶ The garden is covered with flowers.

❷ Why did you drink so much coffee?

❸ I have just cleaned my room.

❹ Have you ever been spoken to by a foreigner?

❺ The old man likes taking a walk along the river after breakfast.

❻ She thinks that she is right.

❼ By whom is this cat taken care of? / Who（m） is this cat taken care of by?

❽ Haven't you done your homework yet? —No, I haven't.

❾ He had his daughter make some coffee.

❿ My mother always tells me to be more careful.

09

文型シャッフルトレーニング

DISC❶TRACK09

❶ 私は彼らにあきらめないようにと言った。

❷ 彼は妻に電話したあと、会社を出た。

❸ なぜあなたは彼女にそんなことをさせたのですか？

❹ あなたはどこでそれを買ったらいいか知っていますか？
—いいえ、知りません。

❺ そのドレスは彼女が着るには大きすぎた。

❻ 私たちに朝食を持ってきてくれますか？　—かしこまりました。

❼ 突然雨が降り始めました。

❽ これは何て退屈な映画なのでしょう！

❾ 彼女は驚かなかったのですか？　—いいえ、驚きましたよ。

❿ その画家は、その絵を見るためにフランスに行った。

ワンポイントアドバイス　①否定のSVO＋to不定詞（〜しないように）②従属節を導く接続詞（after）③使役の原形不定詞　④疑問詞＋to不定詞　⑤too〜to…（〜過ぎて…できない）⑥依頼のwill　⑦不定詞の名詞的用法または動名詞（目的語）⑧感嘆文　⑨受身の否定疑問文　⑩不定詞の副詞的用法

❶ I told them not to give up.

❷ He left the office after he called his wife.

❸ Why did you make her do such a thing?

❹ Do you know where to buy it?
—No, I don't.

❺ The dress was too big for her to wear.

❻ Will you please bring us breakfast? —Certainly.

❼ It began to rain suddenly. / It began raining suddenly.

❽ What a boring movie this is!

❾ Wasn't she surprised? —Yes, she was.

❿ The painter went to France to see the picture.

10

文型シャッフルトレーニング

DISC❶TRACK10

❶ 彼女は、なぜあんなに怒っているのだろう。(wonder を使って)

❷ 彼女はとても内気そうに見えた。

❸ 先生は、彼にもう 1 回作文を書かせた。

❹ あなたは動物が好きではないのですか？　—いいえ、好きですよ。

❺ 彼女は彼と一緒にいるに違いない。

❻ 彼はまもなくそれを買うことを決断するでしょう。

❼ この仕事が終わったら (終わったとき)、一緒に夕食を食べましょうか？

❽ 彼は、娘をその子たちと遊ばせない。

❾ 僕は、もう 300 以上の文を書きました。

❿ 彼はいつ帰ってくるのかしら。(wonder 使用)

ワンポイントアドバイス ①間接疑問文　②一般動詞の SVC　③使役の原形不定詞　④一般動詞の否定疑問文　⑤助動詞 must（〜に違いない）　⑥不定

❶ I wonder why she is so angry.

❷ She looked very shy.

❸ The teacher made him write an essay again.

❹ Don’t you like animals? —Yes, I do.

❺ She must be with him.

❻ He will soon decide to buy it.

❼ Shall we have dinner together when we finish this work?

❽ He doesn’t let his daughter play with the children.

❾ I have already written more than three hundred sentences.

❿ I wonder when he will come back. / I wonder when he will be back.

詞の名詞的用法と will 単純未来　⑦when 節と誘いの shall　⑧使役の原形不定詞
⑨現在完了（完了）　⑩間接疑問文

11

文型シャッフルトレーニング

DISC❶TRACK11

❶ あの車は君のなの、それとも君のお父さんのなの？　―僕のだよ。

❷ これはなんと美しい花なのでしょう！

❸ このスープは美味しい。（動詞 taste を使用）

❹ あの男性は結婚しているに違いない。

❺ 僕は今日の午後、彼に会う予定です。

❻ 図書館では静かにしなくてはいけません。

❼ あの自転車は彼のではないのですか？　―はい、違います。

❽ 彼は、彼女がなんと言ったか知っていますか？

❾ 彼はその話を知っているかもしれない。

❿ 彼は彼女を、素敵なレストランに連れて行った。

ワンポイントアドバイス　①be 動詞の疑問文　②感嘆文　③一般動詞の SVC　④助動詞 must（〜に違いない）　⑤be going to　⑥助動詞 must（〜しな

❶ Is that car yours, or your father's? —It is mine.

❷ What a beautiful flower this is!

❸ This soup tastes good.

❹ That man must be married.

❺ I am going to meet him this afternoon.

❻ You must［have to］be quiet in the library.

❼ Isn't that bicycle his? —No, it isn't.

❽ Does he know what she said?

❾ He may［might］know the story.

❿ He took her to a nice restaurant.

くてはならない）または have to　⑦be 動詞の否定疑問文　⑧間接疑問文
⑨助動詞 may（〜かもしれない）　⑩一般動詞の過去形

12 文型シャッフルトレーニング

DISC❶TRACK12

❶ 午前中、彼らにはすることが何も無かった。

❷ 彼が言ったことは、大切ですか。 ―はい、そうですよ。

❸ 毎日歩きなさい。そうすれば、減量できますよ。

❹ 彼女は疲れていたけれど、諦めなかった。

❺ エミリーはスリムでいるために、毎日泳ぐ。

❻ あなたのおばあさんは、教師だったのですか？
―はい、そうです。

❼ あなたのおじいさんが、あの絵を描いたのですか？
―いえ、違います。

❽ あなたはその料理が気に入らなかったのですか？
―はい、気に入りませんでした。

❾ 彼女はそのとき、公園を走っていた。

❿ 彼は彼女と同じくらい上手に英語を話したのですか？

ワンポイントアドバイス ①不定詞の形容詞的用法　②関係代名詞 what　③命令文＋and～（…しなさい。そうすれば～ですよ）　④従属節を導く接続詞（although または though）　⑤不定詞の副詞的用法（目的）　⑥be 動詞の過去形疑問文　⑦一般動詞の過去形疑問文　⑧一般動詞の否定疑問文　⑨過去進行形　⑩原級比較 as～as

❶ They didn't have anything to do in the morning. / They had nothing to do in the morning.

❷ Is what he said important? —Yes, it is.

❸ Walk every day, and you can lose weight.

❹ Although［Though］she was very tired, she didn't give up.

❺ Emily swims every day to keep slim.

❻ Was your grandmother a teacher?
—Yes, she was.

❼ Did your grandfather paint［draw］that picture?
—No, he didn't.

❽ Didn't you like the food?
—No, I didn't.

❾ She was running in the park then.

❿ Did he speak English as well as she did? /Did he speak English as well as she［her］?

溺れてるようにも
見えるケド
毎日あれだけ泳げばやせるね。

13 文型シャッフルトレーニング

DISC❶TRACK13

❶ いつ雨が止むのだろうか。(wonder を使用)

❷ いつ雪が降り始めたの?

❸ 彼と彼の妻は、20 年間この村に住んでいる。

❹ あれが、僕らが学んだ学校です。

❺ 眠くなったので、彼女はテレビを消した。

❻ あなたはご主人に煙草を吸うのをやめて欲しいのですか?
―はい、そうです。

❼ 彼女は彼にまだ会っていないのですか? ―いいえ、会いましたよ。

❽ 彼女はその音楽がとてもロマンチックだと思った。(find 使用)

❾ 彼女は幸せに違いない。

❿ トムとロバートでは、どちらの方がフランス語を上手に話しますか?

ワンポイントアドバイス ①間接疑問文 ②不定詞の名詞的用法 ③現在完了(継続) ④関係副詞 ⑤従属節を導く接続詞 as [since] ⑥SVO＋to 不定

❶ I wonder when it will stop raining.

❷ When did it begin [start] to snow? / When did it begin [start] snowing?

❸ He and his wife have lived in this village for twenty years.

❹ That is the school where we studied.

❺ As [Since] she became sleepy, she turned off the TV.

❻ Do you want your husband to stop smoking?
—Yes, I do.

❼ Hasn't she met him yet? —Yes, she has.

❽ She found the music very romantic.

❾ She must be happy.

❿ Who speaks French better, Tom or Robert?

詞　⑦現在完了（完了）の否定疑問文　⑧SVOC　⑨助動詞 must（〜に違いない）　⑩疑問詞 who を使う比較の文

14 文型シャッフルトレーニング

DISC❶TRACK14

❶ 寒かったので（寒く感じたので）、彼はストーブをつけた。

❷ 私は娘に夜更かししないように言った。

❸ さあ、踊りましょうか？

❹ 彼らはその作家に1度も会ったことがない。

❺ 彼女は、とても若く見えますね？

❻ （この状況は＝ここは）何かおかしい（おかしい何かがある）。

❼ 彼女は壁を全部白く塗った。

❽ あの絵は有名な画家に描かれたのではないのですか？
―はい、違います。

❾ 寝る前にストーブを消しなさい。

❿ 彼はもう50ページ読んでしまった。

ワンポイントアドバイス ①従属節を導く接続詞 as［since］ ②否定（～しないように）の SVO＋to 不定詞 ③誘いの shall ④現在完了（経験）

❶ As［Since］he felt cold, he turned on the heater.

❷ I told my daughter not to stay up late.

❸ Now shall we dance?

❹ They have never met the writer.

❺ She looks very young, doesn't she?

❻ There is something strange here.

❼ She painted all the walls white.

❽ Wasn't the picture painted［drawn］by a famous painter?
—No, it wasn't.

❾ Turn off the heater before you go to bed.

❿ He has already read fifty pages.

⑤一般動詞のSVC　⑥there is～の文　⑦SVOC　⑧受身の否定疑問文　⑨従属節を導く接続詞（before）　⑩現在完了（完了）

15 文型シャッフルトレーニング

DISC❶TRACK15

❶ この辞書はなんて厚いのだろう！

❷ もっと食べなさい。さもないと、病気になりますよ。

❸ この本はあなたにとって難しくないのですか？
—はい、難しくないです。

❹ その試験は難しいに違いない。

❺ 息子さんが試験に受かった（その）女性は、とても幸せだった（幸せに感じた）。

❻ 規則的に勉強することが大切です。

❼ 彼女はなんと答えていいのかわからなかった。

❽ あそこで歌っている女性は、彼女のお母さんです。（分詞使用）

❾ 答えを知っている少年は、手を挙げた。

❿ 彼女が料理した（料理された）チキンはとても美味しかった。
（分詞使用）

使用語句：⑩とても美味しい delicious

ワンポイントアドバイス　①感嘆文　②命令文＋or（…しなさい。さもないと～ですよ）　③be 動詞の否定疑問文　④助動詞 must（～に違いない）

❶ How thick this dictionary is!

❷ Eat more, or you will be sick.

❸ Isn't this book difficult for you?
—No, it isn't.

❹ The examination must be difficult.

❺ The woman whose son passed the exam felt very happy.

❻ Studying regularly is important. / It is important to study regularly.

❼ She didn't know how to answer.

❽ The woman singing over there is her mother.

❾ The boy who［that］knew the answer raised his hand.

❿ The chicken cooked by her was delicious.

⑤関係代名詞（所有格）と一般動詞のSVC　⑥動名詞。または形式主語it　⑦疑問詞＋to不定詞　⑧現在分詞　⑨関係代名詞（主格）　⑩過去分詞

16 文型シャッフルトレーニング

DISC❶TRACK16

❶ あなたはいくつの間違いを犯しましたか？

❷ あなたは彼が部屋に入るのを見たのですか？

❸ 私はあなたにそんなことをして欲しくなかった。

❹ 彼はなんで悲しいの？

❺ 誰のお嬢さんと彼は結婚したのですか？

❻ 私は今朝５時に起きた。

❼ その映画は面白くなかったのですか？　―いいえ、面白かったです。

❽ 彼女は30分歌い続けています。

❾ 私は父に英語を教わりました。(受身で)

❿ 彼らはどこで英語を習ったのだろう。(wonder を使用)

ワンポイントアドバイス　①how many～の疑問文　②知覚の原形不定詞　③SVO＋to 不定詞　④疑問詞 why　⑤疑問詞 whose　⑥過去形　⑦be 動詞の否定疑問文　⑧現在完了進行形　⑨受身　⑩間接疑問文

❶ How many mistakes did you make?

❷ Did you see him go into the room?

❸ I didn't want you to do such a thing.

❹ Why is he sad?

❺ Whose daughter did he marry?

❻ I got up at five o'clock this morning.

❼ Wasn't the movie interesting? —Yes, it was.

❽ She has been singing for thirty minutes.

❾ I was taught English by my father.

❿ I wonder where they learned English.

17 文型シャッフルトレーニング

DISC❶TRACK17

❶ 彼は娘に、そこに1人で行かないように言った。

❷ 彼は私たちの中で1番怠け者です。

❸ 彼の部屋には本が（1冊でも）ありますか？　—いえ、ありません。

❹ 彼女は、外出するのが好きではない。

❺ 規則的に勉強しなさい。そうすれば、英語が話せるようになりますよ。

❻ その歌はそこで歌うには長すぎる。

❼ あなたの息子さんは、内気ですか？

❽ あなたのお母さんはフランス語を教えますか？

❾ あなたは切符を買う必要があります。（形式主語 it を使用）

❿ あなたの奥さんは疲れていませんでしたか？
—はい、疲れていませんでした。

ワンポイントアドバイス ①否定（～しないように）の SVO＋to 不定詞　②最上級　③there is（are）の疑問文　④動名詞　⑤命令文＋and～（…しなさい。そうすれば～ですよ）　⑥too～to…（～過ぎて…できない）　⑦be 動詞の疑問文　⑧一般動詞の疑問文　⑨形式主語 it　⑩be 動詞の否定疑問文

❶ He told his daughter not to go there alone.

❷ He is the laziest of us.

❸ Are there any books in his room? —No, there aren't.

❹ She doesn't like going out.

❺ Study regularly, and you will be able to speak English.

❻ The song is too long to sing there.

❼ Is your son shy?

❽ Does your mother teach French?

❾ It is necessary for you to buy a ticket.

❿ Wasn't your wife tired?
—No, she wasn't.

18 文型シャッフルトレーニング

DISC❶TRACK18

❶ 当時、人々はその科学者の言うことが、理解できなかった。

❷ あの鳥たちは何て速く飛ぶのだろう！

❸ 私はトムがナンシーに何を言ったのか知らない。

❹ 彼女は、ドアの開け方がわからない。

❺ あなたは昨日お母さんを手伝わなかったのですか？
—はい、手伝いませんでした。

❻ あの少年たちはよく彼女の家を訪れるのですか？
—いいえ、訪れません。

❼ 彼は彼女を魅力的だと思った。（find を使って）

❽ 彼はどのくらいあの車を運転しているの？

❾ あなたは彼らを知っていますよね？

❿ あの男の人は、子供にとても親切です。

ワンポイントアドバイス　①助動詞 can の過去形　②感嘆文　③間接疑問文　④疑問詞＋to 不定詞　⑤一般動詞の否定疑問文　⑥一般動詞の疑問文　⑦SVOC　⑧現在完了進行形　⑨付加疑問文　⑩be 動詞の文

❶ In those days, people could not understand what the scientist said.

❷ How fast those birds fly!

❸ I don't know what Tom said to Nancy.

❹ She doesn't know how to open the door.

❺ Didn't you help your mother yesterday?
—No, I didn't.

❻ Do those boys often visit her house?
—No, they don't.

❼ He found her attractive.

❽ How long has he been driving that car?

❾ You know them, don't you?

❿ That man is very kind to children.

19 文型シャッフルトレーニング

DISC❶TRACK19

❶ 彼はいつも妻の作った食事を楽しむ。

❷ 彼は、彼女と旅行に行くと約束した。

❸ 彼女のお嬢さんは、とても可愛く、利発です。

❹ あなたは、外国語を学んだことがありますか？

❺ ミケは、もうすぐ23歳になります。

❻ 彼女はあなたに電話しなかったのですか？　—いいえ、しました。

❼ 高校生のとき、彼は一生懸命勉強した。

❽ 彼らはその島で１ヵ月過ごした。

❾ すぐ寝なさい。さもないと明日の朝早く起きられませんよ。

❿ あなたはなぜ私を選んだの？

ワンポイントアドバイス　①関係代名詞（目的格）　②不定詞の名詞的用法　③be動詞の文　④現在完了（経験）　⑤will（単純未来）　⑥一般動詞の否定

❶ He always enjoys the food (which / that) his wife cooks.

❷ He promised to travel with her.

❸ Her daughter is very cute and bright.

❹ Have you ever learned a foreign language?

❺ Mike will soon be twenty-three years old.

❻ Didn't she call you? —Yes, she did.

❼ When he was a high school student, he studied hard.

❽ They spent a month on the island.

❾ Go to bed at once, or you won't be able to get up early tomorrow morning.

❿ Why did you choose me?

疑問文　⑦when 節　⑧一般動詞の過去形　⑨命令文＋or～（…しなさい。さもないと～）　⑩疑問詞 why

20 文型シャッフルトレーニング

DISC❶TRACK20

❶ 彼をチェスで負かすのは難しい。(形式主語 it を使用)

❷ この店は、10 時から 6 時まで開いている。

❸ 君は眠くなかったの？　—うん、眠くなかったよ。

❹ 去年彼はクラスで 1 番背が低かった。

❺ 彼は私に、なぜこの学校を選んだのか訊いた。

❻ 日本食はどうですか？　—とても、美味しいですね。(動詞 find を使って)

❼ 彼女は起きていられなかった。

❽ 僕はその映画を、18 歳のときに初めて見た。

❾ 彼は息子に、新聞を持ってくるように頼んだ。

❿ 私は昨日、20 分だけ勉強した。

ワンポイントアドバイス　①形式主語 it　②be 動詞の文　③be 動詞の否定疑問文　④最上級　⑤間接疑問文　⑥SVOC　⑦一般動詞の SVC　⑧when 節　⑨SVO＋to 不定詞　⑩一般動詞の過去形

❶ It is difficult [hard] to beat him in chess.

❷ This store is open from ten to six.

❸ Weren't you sleepy? —No, I wasn't.

❹ He was the shortest in the class last year.

❺ He asked me why I chose this school.

❻ How do you like Japanese food? —I find it very tasty.

❼ She could not keep [stay] awake.

❽ I saw the movie for the first time when I was eighteen (years old).

❾ He asked his son to bring the newspaper.

❿ I studied for only twenty minutes yesterday.

21 文型シャッフルトレーニング

DISC❶TRACK21

❶ 英語を話すことは、彼らにとってたやすい。(動名詞主語で)

❷ 僕は一緒に勉強するためにトムの家に行った。

❸ 彼は息子に医師になって欲しいと思っていますか？
—はい、そうです。

❹ 私は彼の成功について聞いて嬉しい。

❺ エレンは私たちに、その部屋で待つように言った。

❻ 彼にとって、それらの質問に答えることはやさしいでしょうか？
(形式主語 it を使用)

❼ 雨が止んだら（止むとき)、出かけよう。

❽ 私はあなたほどたくさんの友人はいません。

❾ 村人たちは私たちにとても親切だった。

❿ 急ぎなさい、そうすれば電車に乗れますよ。

ワンポイントアドバイス ①動名詞　②不定詞の副詞的用法（目的）
③SVO＋to 不定詞　④不定詞の副詞的用法（感情の原因）　⑤SVO＋to 不定詞
⑥形式主語 it　⑦when 節　⑧原級比較 as～as　⑨be 動詞の過去形　⑩命令文＋and～（…しなさい。そうすれば～できますよ）

❶ Speaking English is easy for them.

❷ I went to Tom's house to study with him.

❸ Does he want his son to be [become] a doctor?
—Yes, he does.

❹ I am happy to hear of his success.

❺ Ellen told us to wait in the room.

❻ Is it easy for him to answer those questions?

❼ Let's go out when it stops raining.

❽ I don't have as many friends as you do.

❾ The villagers were very kind to us.

❿ Hurry up, and you can catch the train.

22 文型シャッフルトレーニング

DISC❶TRACK22

❶ 彼らは毎週テストを受けなければならない。

❷ あなたはおととい、彼女の宿題を手伝いましたか？

❸ 僕は将来弁護士になるぞ。

❹ あなたの弟は、彼女と結婚できると思っているのですか？
―はい、そうです。

❺ もし、君がそこに行くなら、僕も行こう。

❻ あなたは今朝もう彼女に会いましたか？ ―いえ､会っていません。

❼ 晴れていたのに、彼は昨日１日中家にいた。

❽ 家族の中で父が１番早起きです。

❾ そのとき、あなたは彼がその箱を開けるのを見ましたか？

❿ ナンシーは３人のうちで１番年下です。

ワンポイントアドバイス ①must または have to ②一般動詞の過去形疑問文 ③will（意思未来） ④that 節 ⑤従属節を導く接続詞（if） ⑥現在完了（完了） ⑦従属節を導く接続詞（although または though） ⑧最上級（副詞） ⑨知覚の原形不定詞 ⑩最上級

❶ They must [have to] have a test every week.

❷ Did you help her with her homework the day before yesterday?

❸ I will be [become] a lawyer in the future.

❹ Does your brother think that he can marry her?
—Yes, he does.

❺ If you go there, I will go, too.

❻ Have you seen her this morning yet? —No, I haven't.

❼ Although [Though] it was fine [sunny], he stayed home all day yesterday.

❽ My father gets up (the) earliest in my family.

❾ Did you see him open the box then?

❿ Nancy is the youngest of the three.

23 文型シャッフルトレーニング

DISC❶TRACK23

❶ この建物はあの建物よりずっと古い。

❷ ギリシア語とロシア語では、どちらの方が難しいですか？

❸ 夜の間に雨が降ったので、道が濡れている。

❹ 彼は疲れているのかもしれない。

❺ 父は僕に彼の車を運転させてくれる。

❻ 誰がこの犬を世話しますか？

❼ 君は彼女が何か言うのを聞いたかい？

❽ この家は、たったの３ヵ月で建てられました。

❾ 彼らは何て速く走るのでしょう！

❿ 僕は姉に宿題を手伝ってくれるように頼んだ。

ワンポイントアドバイス ①比較　②疑問詞 which を使う比較の文　③従属節を伴う接続詞 as［since］　④助動詞 may（～かもしれない）　⑤使役の原形不定詞　⑥疑問詞主語　⑦知覚の原形不定詞　⑧受身　⑨感嘆文　⑩SVO＋to 不定詞

❶ This building is much older than that one.

❷ Which is more difficult, Greek or Russian?

❸ As [Since] it rained during the night, the roads are wet.

❹ He may [might] be tired.

❺ My father lets me drive his car.

❻ Who takes care of this dog?

❼ Did you hear her say something?

❽ This house was built in only three months.

❾ How fast they run!

❿ I asked my sister to help me with my homework.

24

文型シャッフルトレーニング

DISC❶TRACK24

❶ 私たちみんなのうちで、彼女が１番一生懸命練習します。

❷ あなたの猫は、大きいですか？

❸ 牛乳が酸っぱくなってしまった。

❹ 彼が生まれた日は、とても暑かった。

❺ 彼はどこであの本を見つけたの？

❻ あの雲は船のように見えますね。

❼ 彼らはいつブラジルに発つ予定ですか？

❽ すぐに手を洗いなさい。

❾ 彼女はフランス人かもしれない。

❿ あなたが見た男性は太っていましたか？　―はい、そうです。

ワンポイントアドバイス ①最上級　②be動詞の疑問文　③一般動詞のSVC　④関係副詞　⑤疑問詞where　⑥前置詞like　⑦be going to　⑧命令文　⑨助動詞may（～かもしれない）　⑩関係代名詞（目的格）

❶ She practices (the) hardest of us all.

❷ Is your cat big?

❸ The milk has turned sour.

❹ The day when he was born was very hot.

❺ Where did he find that book?

❻ That cloud looks like a ship.

❼ When are they going to leave for Brazil?

❽ Wash your hands at once.

❾ She may [might] be French.

❿ Was the man (whom / that) you saw fat? —Yes, he was.

25

文型シャッフルトレーニング

DISC❶TRACK25

❶ 彼はクラシック音楽を聴くのが好きだ。

❷ 彼女は他のどんな花よりも薔薇が好きなのですか？
—はい、そうです。

❸ その少年はお父さんより早く起きなければならない。

❹ あなたのお兄さんはこの学校の生徒ですか？　—いいえ、違います。

❺ あなたのお兄さんはコーヒーが好きですか？　—はい、好きです。

❻ そのスープは熱すぎて、その少女は飲めなかった。

❼ 彼は間食するので太っている。

❽ 私があなたに夕食を作りましょうか？

❾ 彼は午前８時からずっと働いている。

❿ 僕のためにピアノを弾いてくれるかい？　—いいわよ。

ワンポイントアドバイス　①動名詞　②比較　③比較　④be 動詞の疑問文　⑤一般動詞の疑問文　⑥too～to…（…するには～過ぎる）　⑦従属節を導く

❶ He likes listening to classical music.

❷ Does she like roses better than any other flower?
—Yes, she does.

❸ The boy must [has to] get up earlier than his father.

❹ Is your brother a student of this school? —No, he isn't.

❺ Does your brother like coffee? —Yes, he does.

❻ The soup was too hot for the girl to eat. / The soup was so hot that the girl couldn't eat it.

❼ He is fat because he eats between meals. / As [Since] he eats between meals, he is fat.

❽ Shall I cook dinner for you? / Shall I cook you dinner?

❾ He has been working since eight o'clock in the morning.

❿ Will you please play the piano for me? —Sure.

接続詞　⑧申し出の shall　⑨現在完了進行形　⑩依頼の will

26 文型シャッフルトレーニング

DISC❶TRACK26

❶ 明日、ロバートは忙しいでしょう。

❷ 彼と踊るのはとても楽しい。（動名詞主語で）

❸ あの指輪は誰に盗まれたのですか？

❹ 私は何時にあなたを訪ねましょう？

❺ 彼らはその犬をジョンと呼んでいる。

❻ みんな、その女の人はお金持ちだと思った。

❼ 彼女はいつもとても忙しい（ミツバチと同じくらい忙しい）。

❽ 彼女は昨日あなたに会いませんでしたよね？

❾ この橋は、あの橋の２倍の長さです。

❿ 君は何月に生まれたの？　—11 月生まれです。

ワンポイントアドバイス ①will 単純未来　②動名詞　③受身　④申し出の shall　⑤SVOC　⑥that 節　⑦原級比較 as～as　⑧付加疑問文　⑨倍数の付いた原級比較 as～as　⑩受身

❶ Robert will be busy tomorrow.

❷ Dancing with him is a lot of fun.

❸ Who(m) was that ring stolen by? / By whom was that ring stolen?

❹ What time shall I visit you?

❺ They call the dog John.

❻ Everyone [Everybody] thought that the woman was rich.

❼ She is always as busy as a bee.

❽ She didn't see you yesterday, did she?

❾ This bridge is twice as long as that one.

❿ In what month were you born? —I was born in November.

27 文型シャッフルトレーニング

DISC❶TRACK27

❶ 彼女は、なぜ歩くのが好きではなかったのですか？

❷ 彼が撮ったその写真はとても有名です。

❸ どこかでノートを買わなきゃ。

❹ 彼が帰ってくる前に、私は部屋を掃除したい。

❺ 彼らがこの町に来てから 3 年が過ぎた。

❻ ここは、とても暖かいですね？

❼ 彼に、いつそこに行ったらよいか教えてあげなさい。

❽ 彼女が昨日どこに行ったのか知っていますか？
—いいえ、知りません。

❾ その朝、彼はできるだけ早起きした。

❿ 兄貴は僕に彼の辞書を使わせてくれないんだ。

ワンポイントアドバイス ①疑問詞 why の否定疑問文　②関係代名詞（目的格）　③must または have to　④従属節を導く接続詞（before）　⑤現在完

❶ Why didn't she like walking?

❷ The picture（which / that）he took is very famous.

❸ I must［have to］buy a notebook somewhere.

❹ I want to clean the room before he comes back.

❺ Three years have passed since they came to this town.

❻ It is very warm here, isn't it?

❼ Tell him when to go there.

❽ Do you know where she went yesterday?
—No, I don't.

❾ He got up as early as he could that morning.

❿ My brother won't let me use his dictionary.

了　⑥付加疑問文　⑦疑問詞＋to 不定詞　⑧間接疑問文　⑨できるだけ as～as one can［possible］　⑩使役の原形不定詞とかたくなな拒否 will not＝won't

28 文型シャッフルトレーニング

DISC❶TRACK28

❶ その少年は僕らよりずっと速く走った。

❷ この部屋は毎日誰に掃除されますか？

❸ そのかばんはとても重くて、彼女は運ぶことができなかった。
(so～that…で)

❹ キャッチボールをするには暗すぎる。

❺ 彼は冗談を言ったことがない。

❻ 彼らは飛行機が離陸するのを見ましたか？　―はい、見ました。

❼ 彼は、次はいつ来られるのかなあ。(wonderを使用)

❽ その国で話される言葉は、とても美しい。(分詞使用)

❾ 彼らはあなたに写真を撮って欲しくなかったのだ。

❿ 彼は泣くまいとした。

ワンポイントアドバイス ①比較（副詞） ②受身 ③so～that…（とても～なので…だ） ④too～to…（…するには～過ぎる） ⑤現在完了（経験） ⑥知覚の原形不定詞 ⑦間接疑問文 ⑧過去分詞 ⑨SVO＋to不定詞 ⑩不定詞の名詞的用法

❶ The boy ran much faster than we did.

❷ Who (m) is this room cleaned by everyday? / By whom is this room cleaned everyday?

❸ The bag was so heavy that she couldn't carry it.

❹ It is too dark to play catch.

❺ He has never told a joke.

❻ Did they see the (air) plane take off? —Yes, they did.

❼ I wonder when he will be able to come next time.

❽ The language spoken in the country is very beautiful.

❾ They didn't want you to take a picture.

❿ He tried not to cry.

29 文型シャッフルトレーニング

DISC❶TRACK29

❶ あの少年たちは、毎日ここでサッカーをするのですか？
—はい、そうです。

❷ あそこでロバートと話をしている女性は誰ですか？

❸ 彼は彼女に、自分と結婚してくれるように頼んだ。

❹ 彼はなんて痩せているのでしょう！

❺ このプランには問題がありますか？　—いいえ、ありません。

❻ バスはちょうど出発したところです。

❼ あなたはその男が鍵を盗むのを見たのですか？

❽ 彼らは２週間後に、スペインに向けて出発する予定です。

❾ 最も長い英単語は何ですか？

❿ 彼らは歴史を学んでいる学生です。

ワンポイントアドバイス　①一般動詞の疑問文　②関係代名詞（主格）　③SVO＋to 不定詞　④感嘆文　⑤There is（are）～の疑問文　⑥現在完了（完了）　⑦知覚の原形不定詞　⑧be going to～　⑨最上級　⑩関係代名詞（主格）

❶ Do those boys play soccer here everyday?
—Yes, they do.

❷ Who is the woman who [that] is talking with Robert there?

❸ He asked her to marry him.

❹ How thin he is!

❺ Are there any problems with this plan? —No, there aren't.

❻ The bus has just left.

❼ Did you see the man steal the key?

❽ They are going to leave for Spain in two weeks.

❾ What is the longest English word?

❿ They are students who [that] study history.

30 文型シャッフルトレーニング

DISC❶TRACK30

❶ 彼に教わっている生徒たちは授業を楽しみます。

❷ 君はコーヒーを飲みすぎたね？

❸ 彼はなぜ英語を勉強しているのですか？

❹ 夕食を食べる前に、彼女は手を洗った。

❺ 僕のジョークに彼らは笑わなかった。（使役動詞 make を使って）

❻ 音楽を聴いて（聴くことを）楽しみましょう。

❼ 妻が料理をしている間、その男性は新聞を読んでいた。

❽ 彼女は娘に早く帰ってくるようにと言いました。

❾ もう宿題した？　—うん、したよ。

❿ 午後雨が降るかもしれない。

ワンポイントアドバイス　①関係代名詞あるいは過去分詞　②付加疑問文　③疑問詞 why　④従属節を導く接続詞（before）　⑤使役の原形不定詞　⑥動名詞　⑦従属節を導く接続詞（while）　⑧SVO＋to 不定詞　⑨現在完了（完了）　⑩助動詞 may（～かもしれない）

❶ The students (who are) taught by him enjoy the class.

❷ You drank too much coffee, didn't you?

❸ Why is he studying English?

❹ She washed her hands before she had dinner.

❺ My joke didn't make them laugh.

❻ Let's enjoy listening to music.

❼ While his wife was cooking, the man was reading the newspaper.

❽ She told her daughter to come back early.

❾ Have you done your homework yet? —Yes, I have.

❿ It may [might] rain in the afternoon.

31 文型シャッフルトレーニング

DISC❶TRACK31

❶ 彼女にイタリア語を教えてくれるように頼みなさい。

❷ 君のかばんは車の中にないの？　―うん、ない。

❸ 彼は何と言いましたか？

❹ その女性たちは喋るのをやめなかった。

❺ 日本では、バレンタインデーに、女の子が男の子にチョコレートをあげる。

❻ これがこの店（＝レストラン）で１番高い料理です。

❼ 彼らは彼が帰ってくると信じています。

❽ あなたは昨夜家にいましたか？

❾ 彼はそこに２時間以上いる。

❿ 彼は僕よりずっと勇敢でした。

ワンポイントアドバイス　①SVO＋to 不定詞　②be 動詞の否定疑問文　③疑問詞 what　④動名詞　⑤SVOO（二重目的語）　⑥最上級　⑦that 節　⑧be 動詞の疑問文　⑨現在完了　⑩比較

❶ Ask her to teach you Italian.

❷ Isn't your bag in the car? —No, it isn't.

❸ What did he say?

❹ The women didn't stop talking.

❺ In Japan girls give boys chocolate on Valentine's Day.

❻ This is the most expensive dish in this restaurant.

❼ They believe that he will come back.

❽ Were you at home last night?

❾ He has been there for more than two hours.

❿ He was much braver than me [I was].

32 文型シャッフルトレーニング

DISC❶TRACK32

❶ 私はこの本を、3ヵ月で書きました。

❷ 子供たちはもう帰宅しましたか？　—はい、帰宅しました。

❸ 彼らはその結果に落胆しました。

❹ 音楽が好きなその男性は、CDを500枚も持っている。

❺ 僕は、彼が、料理をするのが好きだとは知らなかった。

❻ 駅前のレストランでは、とても美味しい料理を出す。

❼ 彼はプロの選手になれるくらい（なるのに十分に）野球が上手い。

❽ 私は家が揺れるのを感じた。

❾ あなたの弟さんはあなたと同じくらい背が高いのですか？
—はい、そうです。

❿ 私たちは海で泳いでいました。

ワンポイントアドバイス ①一般動詞の過去形　②現在完了（完了）　③受身　④関係代名詞（主格）　⑤動名詞　⑥一般動詞現在形　⑦～enough to…（…するのに十分に～だ）　⑧知覚の原形不定詞　⑨原級比較 as～as　⑩過去進行形

❶ I wrote this book in three months.

❷ Have the children come home yet? —Yes, they have.

❸ They were disappointed at the result.

❹ The man who [that] likes music has as many as five hundred CDs.

❺ I didn't know that he likes cooking.

❻ They serve very good food at the restaurant in front of the station.

❼ He plays baseball well enough to be a professional player.

❽ I felt the house shake.

❾ Is your brother as tall as you?
—Yes, he is.

❿ We were swimming in the sea.

33

文型シャッフルトレーニング

DISC❶TRACK33

❶ 雨が降って欲しくないな。

❷ トムはよくここに来ますね。

❸ もっとゆっくり話してくれますか？

❹ 僕はこの制服を着なければなりませんか？
—はい、そうです。

❺ 私はもっと大きい家に住みたいの。

❻ 君は金持ちと結婚したんじゃないんだよ。

❼ 同じことがまた始まった。

❽ 彼が僕たちにした話は面白かった。

❾ 誰もその少年の言うことを信じなかった。

❿ 羊はみんな狼に食べられた。

ワンポイントアドバイス ①SVO＋to 不定詞　②一般動詞現在形　③依頼の will　④have to または must　⑤不定詞の名詞的用法　⑥一般動詞過去形　⑦一般動詞過去形　⑧関係代名詞（目的格）　⑨関係代名詞 what　⑩受身

❶ I don't want it to rain.

❷ Tom often comes here, doesn't he?

❸ Will you please speak more slowly?

❹ Do I have to wear this uniform? —Yes, you do. /
Must I wear this uniform? —Yes, you must.

❺ I want to live in a bigger house.

❻ You didn't marry a rich man.

❼ The same thing happened again.

❽ The story（which / that）he told us was interesting.

❾ Nobody believed what the boy said.

❿ All the sheep were eaten by the wolf.

34 文型シャッフルトレーニング

DISC❶TRACK34

❶ 僕は健康のために毎日野菜を食べます。

❷ でも、僕は禁煙できません。

❸ 彼は辞書を使わずに、その本を読みました。

❹ なぜあなたは、車を売ったのですか？

❺ あなたの姪は大学生ですか？　―はい、そうです。

❻ あなたのいとこは彼を知っていますか？　―いえ、知りません。

❼ テレビを消しましょうか？

❽ 8時前に彼に電話してもらえますか？

❾ お母さんを喜ばせるために、彼らは花を買った。

❿ その晩、月が明るく輝いていた。

ワンポイントアドバイス ①一般動詞現在形　②助動詞 can と動名詞　③動名詞　④疑問詞 why　⑤be 動詞の疑問文　⑥一般動詞の疑問文　⑦申し出の shall　⑧依頼の will　⑨不定詞の副詞的用法（目的）　⑩過去進行形

❶ I eat vegetables everyday for health.

❷ But I can't give up ［stop］ smoking.

❸ He read the book without using a dictionary.

❹ Why did you sell your car?

❺ Is your niece a college student? —Yes, she is.

❻ Does your cousin know him? —No, he ［she］ doesn't.

❼ Shall I turn off the TV?

❽ Will you please call him before eight o'clock?

❾ They bought flowers to please their mother.

❿ The moon was shining brightly that night.

35 文型シャッフルトレーニング

DISC❶TRACK35

❶ 私を彼に会わせてもらえますか？

❷ 誰が彼にその写真を見せたのですか？　—彼女が見せました。

❸ あの部屋はあなたのですか、それとも彼のですか？　—私のです。

❹ 子供（複数形）は9時前に寝なくてはいけません。

❺ 庭で吠えている犬が見えますか？（分詞を使用）

❻ 両親は僕にその番組を見せてくれなかった。

❼ この石鹸はいい匂いがしますね？（動詞 smell を使用）

❽ その本はいつ出版されるのですか？

❾ その晩、彼女は彼に電話しないで寝た。

❿ あの老人はおいくつですか？　—98歳です。

ワンポイントアドバイス　①使役の原形不定詞と依頼の will　②who の疑問詞主語　③be 動詞の疑問文　④must または have to　⑤現在分詞　⑥使役の原形不定詞　⑦一般動詞の SVC　⑧受身の疑問文と will（単純未来）　⑨動名詞　⑩how old の疑問文

❶ Will you please let me meet him?

❷ Who showed him the picture? —She did.

❸ Is that room yours or his? —It is mine.

❹ Children must [have to] go to bed before nine o'clock.

❺ Can you see the dog barking in the garden?

❻ My parents did not let me see the program.

❼ This soap smells good, doesn't it?

❽ When will the book be published?

❾ She went to bed without calling him that night.

❿ How old is that old man? —He is ninety-eight years old.

36 文型シャッフルトレーニング

DISC❶TRACK36

❶ 私は彼らに、朝早く電話しないように頼んだ。

❷ 彼女は明日我が家を訪れる予定です。

❸ この列車に乗るのはよそうよ。

❹ あなたは歯を磨かずに寝たのですか？

❺ 卵は冷蔵庫の中ですか？　―はい、そうです。

❻ 彼女は彼と一緒にいたかった。

❼ 最初、私はその話が本当だと思った。

❽ 彼はハンバーガーをいくつ食べましたか？　―3つ食べました。

❾ 彼はよくそのホテルに泊まるのですか？　―はい、そうです。

❿ 彼は1週間ですべての本を読み終えた。

ワンポイントアドバイス　①SVO＋to不定詞　②be going to　③否定のlet's～　④動名詞　⑤be動詞の疑問文　⑥不定詞の名詞的用法　⑦that節　⑧how many～の疑問文　⑨一般動詞の疑問文　⑩動名詞

❶ I asked them not to call me early in the morning.

❷ She is going to visit my house tomorrow.

❸ Let's not take this train.

❹ Did you go to bed without brushing your teeth?

❺ Are the eggs in the refrigerator? —Yes, they are.

❻ She wanted to be with him.

❼ At first I thought (that) the story was true.

❽ How many hamburgers did he eat? —He ate three.

❾ Does he often stay at the hotel? —Yes, he does.

❿ He finished reading all the books in a week.

37 文型シャッフルトレーニング

DISC❶TRACK37

❶ あなたのご主人が帰宅したとき、何時でしたか？
—11 時でした。

❷ そのケーキはとても美味しかったので、僕は全部食べてしまった。

❸ 私たちの家は、10 年前に建てられました。

❹ その車はとても高いので、お金持ちしか買えない。（so～that…を使って）

❺ 明日僕は 8 時に起きる予定です。

❻ 私が留守の間、誰か来ましたか？

❼ 彼はお金を全部使ってしまった。

❽ 彼は起きてから（今まで）何本の煙草を吸いましたか？
—7 本吸いました。

❾（私は）本をもう 3 冊買おう。

❿ あの男性は彼のおじさんですか？　—いいえ、違います。

ワンポイントアドバイス ①when 節　②従属節を導く接続詞（as）③受身　④so～that…（とても～なので…だ）⑤be going to　⑥従属節を導く接続詞（while）⑦現在完了（完了）⑧現在完了（完了）と how many～　⑨will（意思未来）⑩be 動詞の疑問文

❶ What time was it when your husband came home?
—It was eleven o'clock.

❷ As the cake was very tasty, I ate all of it.

❸ Our house was built ten years ago.

❹ The car is so expensive that only rich people can buy it.

❺ I am going to get up at eight (o'clock) tomorrow.

❻ Did anybody come while I was away [out] ?

❼ He has spent all his money.

❽ How many cigarettes has he smoked since he got up?
—He has smoked seven (cigarettes).

❾ I will buy three more books.

❿ Is that man his uncle? —No, he isn't.

38

文型シャッフルトレーニング

DISC❶TRACK38

❶ 君は彼にドアに鍵をかけないように言ったかい？　—うん、言ったよ。

❷ この映画見たくないわ。

❸ あの男性たちは何て無礼なのでしょう！

❹ 誰に、あなたは数学を教えているのですか？

❺ 僕には、こんなに長い詩を覚えるのは不可能です。（形式主語 it を使用）

❻ 違う町に引っ越したいな。

❼ あなた方の便は何時に到着する予定ですか？

❽ そんなに心配なさらないで。

❾ 先週、僕らはよく働いたね？

❿ これは最も美しい詩の一つです。

ワンポイントアドバイス　①否定（～しないように）の SVO＋to 不定詞　②不定詞の名詞的用法　③感嘆文　④前置詞を伴う疑問詞 who　⑤形式主語 it　⑥不定詞の名詞的用法　⑦be going to　⑧否定の命令文　⑨付加疑問文　⑩最上級

❶ Did you tell him not to lock the door? —Yes, I did.

❷ I don't want to see this movie.

❸ How rude those men are!

❹ To whom do you teach mathematics?

❺ It is impossible for me to remember such a long poem.

❻ I want to move to another town.

❼ What time is your flight going to arrive?

❽ Please don't worry so much.

❾ We worked a lot last week, didn't we?

❿ This is one of the most beautiful poems.

39 文型シャッフルトレーニング

DISC❶TRACK39

❶ あなたが描いた絵はどれですか？

❷ 自分の部屋を掃除することが、僕の趣味です。（動名詞主語で）

❸ あなたは、それを本気で言ってるのですか？

❹ 彼女は12時間以上眠っています。

❺ その科学者はりんごが木から落ちるのを見た。

❻ 私はあなたに、手紙をもっと頻繁に（私に）書いて欲しいのです。

❼ これが町で1番大きな家です。

❽ 誰もその言葉が何を意味するのかわからなかった。

❾ 私は私の子供たちを10時前に就寝させます。

❿ パーティーで何が出た？

ワンポイントアドバイス ①関係代名詞（目的格） ②動名詞 ③現在進行形 ④現在完了進行形 ⑤知覚の原形不定詞 ⑥SVO＋不定詞 ⑦最上級 ⑧間接疑問文 ⑨使役の原形不定詞 ⑩疑問詞 what

❶ Which is the picture（which / that）you painted?

❷ Cleaning my room is my hobby.

❸ Are you saying it seriously?

❹ She has been sleeping for more than twelve hours.

❺ The scientist saw an apple fall off the tree.

❻ I want you to write to me more often.

❼ This is the biggest house in town.

❽ Nobody knew what the word meant.

❾ I make my children go to bed before ten o'clock.

❿ What did they serve at the party? / What was served at the party?

40 文型シャッフルトレーニング

DISC❶TRACK40

❶ 音楽室でピアノを弾いている少女は誰ですか？

❷ 車に何も置いていかないでください。

❸ 明日雪が降るといいなあ。

❹ このかばんに何冊の本が入りますか？

❺ あの屋根が緑色の家は彼のです。

❻ 彼女はまだ出発していませんか？　―いいえ、出かけました。

❼ 君は先週あの店に行ったよね？

❽ 彼は彼女を深く愛している。

❾ 彼女も彼を深く愛している。

❿ 彼らは愛し合っているのだ。

ワンポイントアドバイス ①現在分詞。または関係代名詞（主格）　②命令文　③that 節　④how many の疑問文　⑤前置詞を伴う関係代名詞　⑥現在完

❶ Who is the girl playing the piano in the music room? / Who is the girl who is playing the piano in the music room?

❷ Leave nothing in the car. / Don't leave anything in the car.

❸ I hope（that）it will snow tomorrow.

❹ How many books can you put in this bag?

❺ The house the roof of which is green is his.

❻ Hasn't she left yet? —Yes, she has.

❼ You went to that store last week, didn't you?

❽ He loves her deeply.

❾ She loves him deeply, too.

❿ They love each other.

了（完了） ⑦付加疑問文 ⑧一般動詞の現在形 ⑨一般動詞の現在形 ⑩一般動詞の現在形

41

文型シャッフルトレーニング

DISC❷TRACK01

❶ 彼はできるだけ多くの車を売りたがっている。

❷ 昨日は飲みすぎちゃった。

❸ 君はこの歌の題名を知ってる？　―いや、知らない。

❹ 彼女は君よりずっと疲れているよ。

❺ これは僕の祖父に使われた辞書です。（関係代名詞を使って）

❻ どちらの車が欲しいの、こっちの、それともあっちの？

❼ この料理は彼を喜ばせるでしょう。（動詞 please を使い、能動態で）

❽ その引出しに何が入っているのですか？

❾ 私の夫は、彼のことをよく覚えています。

❿ 彼は自分がどこにいるのかわからなかった。

ワンポイントアドバイス　①原級比較 as～as possible［can］（できる限り～）　②一般動詞過去　③一般動詞の疑問文　④比較　⑤関係代名詞　⑥疑問詞 which　⑦一般動詞　⑧what の疑問詞主語文　⑨一般動詞　⑩間接疑問文

❶ He wants to sell as many cars as possible. / He wants to sell as many cars as he can.

❷ I drank too much yesterday.

❸ Do you know the title of this song? —No, I don't.

❹ She is much more tired than you are.

❺ This is a dictionary which [that] was used by my grandfather.

❻ Which car do you want, this one or that one?

❼ This dish will please him.

❽ What is in the drawer?

❾ My husband remembers him well.

❿ He didn't know where he was.

42

文型シャッフルトレーニング

DISC❷TRACK02

❶ 私は何て愚かだったのだろう！

❷ 私は人々のために働くのが好きです。

❸ くだらない冗談を言うな。

❹ これは彼女によって焼かれたケーキです。（分詞を使用）

❺ お父さんに怒られた（その）男の子は泣いた。

❻ 僕には、朝５時に起きるのは辛い。（形式主語 it を使用）

❼ ７は幸運の数字と呼ばれる。

❽ その国は日本よりずっと大きい。

❾ 昨夜、僕は眠すぎて勉強ができなかった。（too～to…で）

❿ 私二度と彼に会わないわ。

ワンポイントアドバイス　①感嘆文　②動名詞　③否定の命令文　④過去分詞　⑤関係代名詞（主格）　⑥形式主語 it　⑦SVOC の受身　⑧比較

❶ How stupid I was!

❷ I like working for people.

❸ Don't tell a stupid joke.

❹ This is the cake baked by her.

❺ The boy who［that］was scolded by his father cried.

❻ It is hard for me to get up at five in the morning.

❼ Seven is called a lucky number.

❽ The country is much bigger than Japan.

❾ I was too sleepy to study last night.

❿ I won't see him again.

⑨too～to…（…するには～過ぎる） ⑩will（意思未来）

43 文型シャッフルトレーニング

DISC❷TRACK03

❶ 私はドアが閉まるのを聞きました。

❷ そのとき誰があなたと一緒にいましたか？

❸ そのとき、トムは誰と一緒にいましたか？

❹ 彼らはその厚い本を読まなければならなかった。

❺ 彼はコーヒーをもう１杯飲んだ。

❻ 彼女はギリシア語で書かれた本を読んだのですか？（分詞使用）

❼ 彼を１人にしておいてあげなさい。

❽ 私はいつもより少し早く起きた。

❾ 彼女はみごとにバイオリンを演奏した。

❿ 彼はなんて美しい詩を書いたのでしょう！

ワンポイントアドバイス ①知覚の原形不定詞　②who の疑問詞主語　③前置詞を伴う疑問詞 who　④have to　⑤一般動詞の過去形　⑥過去分詞

❶ I heard the door close.

❷ Who was with you then?

❸ Who was Tom with then?

❹ They had to read the thick book.

❺ He drank another cup of coffee. / He drank one more cup of coffee.

❻ Did she read a book written in Greek?

❼ Leave him alone.

❽ I got up a little earlier than usual. / I got up a little earlier than I usually do.

❾ She played the violin beautifully.

❿ What a beautiful poem he wrote!

⑦SVOC　⑧比較　⑨一般動詞の過去形　⑩感嘆文

44

文型シャッフルトレーニング

DISC❷TRACK04

❶ 私たちは打ち合わせをするために、その書店の前で会った。

❷ 彼女は上手に話そうとしましたか？

❸ このコーヒーは何て濃いのだろう！

❹ あなたは私の言ったことがわからないのですか？
—はい、わかりません。

❺ 母は僕に夕食の前に宿題をやるように言った。

❻ 彼の名前はみんなに知られていた。

❼ 僕が言うことは、君たちを驚かすよ。（動詞 surprise を使い、能動態で）

❽ この椅子に座っていいですか？　—いいですよ。

❾ あなたは、週に何回お風呂に入りますか？

❿ 彼女は１人暮らしをしていい年齢です。

ワンポイントアドバイス　①不定詞の副詞的用法（目的）　②不定詞の名詞的用法　③感嘆文　④一般動詞の否定疑問文　⑤SVO＋to 不定詞　⑥受身　⑦関係代名詞 what と be going to　⑧助動詞 may（～してもいい）　⑨疑問詞 how　⑩～enough to…（…するのに十分に～だ）

❶ We met in front of the bookstore to have a meeting.

❷ Did she try to speak well?

❸ How strong this coffee is!

❹ Don't you understand what I said?
—No, I don't.

❺ My mother told me to do my homework before dinner.

❻ His name was known to everybody.

❼ What I'm going to say will surprise you.

❽ May I sit on this chair? —Yes, you may.

❾ How many times a week do you take a bath?

❿ She is old enough to live on her own.

45 文型シャッフルトレーニング

DISC❷TRACK05

❶ あなたのお父さんは普通何時に帰宅しますか？

❷ その有名な画家は、7歳のときにこの絵を描きました。

❸ 私があなたの車を洗いましょうか？　—はい、お願いします。

❹ あなたの家のそばにコンビニはありますか？

❺ あなたは昨夜8時、何をしていましたか？

❻ 私はそのとき、友人とチェスをしていました。

❼ 私はそれについて何も知りません。

❽ 我々は、また、あなたと会わなければならないでしょう。

❾ 夜7時以降は、私を訪ねて来ないでください。

❿ 我々は必要なことをしますよ。（関係代名詞 what を使用）

ワンポイントアドバイス　①what time～?　②when 節　③申し出の shall　④There is（are）～の疑問文　⑤疑問詞 what　⑥過去進行形　⑦一般動詞　⑧have to　⑨否定の命令文　⑩関係代名詞 what

❶ What time does your father usually come home ?

❷ The famous painter painted this picture when he was seven years old.

❸ Shall I wash your car? —Yes, please.

❹ Is there a convenience store near your house?

❺ What were you doing at eight o'clock last night?

❻ I was playing chess with a friend then.

❼ I don't know anything about it.

❽ We will have to see you again.

❾ Please don't visit me after seven in the evening.

❿ We will do what is necessary.

46 文型シャッフルトレーニング

DISC 2 TRACK 06

❶ 彼は通訳になりたがっています。

❷ そのしっぽが短い猫は、私の隣人のペットです。（関係代名詞を使って）

❸ 先生は僕らに座るように言った。

❹ 彼の叔母が彼にピアノの弾き方を教えました。

❺ この国では、サッカーは野球よりずっと人気があります。

❻ 君はライオンに触ったことがあるかい？　―あるよ。

❼ それについて僕に話してよ。

❽ 僕にはここにいる時間がないんだ。

❾ 昨夜、あなたは奥さんとそのレストランに行ったのですか？

❿ 私はあなたたちにここに来て欲しくない。

ワンポイントアドバイス ①不定詞の名詞的用法　②前置詞＋関係代名詞　③SVO＋to 不定詞　④疑問詞＋to 不定詞　⑤比較　⑥現在完了（経験）　⑦命令文　⑧不定詞の形容詞的用法　⑨一般動詞の疑問文　⑩SVO＋to 不定詞

❶ He wants to be [become] an interpreter.

❷ The cat the tail of which is short is my neighbor's pet.

❸ Our teacher told us to sit down.

❹ His aunt taught him how to play the piano.

❺ Soccer is much more popular than baseball in this country.

❻ Have you ever touched a lion? —Yes, I have.

❼ Tell me about it.

❽ I don't have time to stay here.

❾ Did you go to the restaurant with your wife last night?

❿ I don't want you to come here.

47 文型シャッフルトレーニング

DISC❷TRACK07

❶ これは、彼女が作ったアップルパイですか？ —いいえ、違います。

❷ 昨日、お腹が痛くなったので、彼は医者に診てもらいに行った。

❸ 祖母と料理をするのは、とても楽しいです。（動名詞を使って）

❹ 彼らはパーティーにくるでしょうか？

❺ 明日雪が降ったら、僕は雪だるまを作るぞ。

❻ あなたは何か読むものを持っていますか？

❼ ドアが緑のあのレストランは、このあたりで有名です。

❽ 君の家の近くにサッカーができる公園はあるかい？
—うん、あるよ。

❾ 朝食に何を食べましたか？

❿ なぜ、あなたはその新聞を読まなかったのですか？

ワンポイントアドバイス ①関係代名詞（目的格） ②従属節と不定詞の副詞的用法（目的） ③動名詞 ④will（単純未来） ⑤従属節を導く接続詞（if）と、will（意思未来） ⑥不定詞の形容詞的用法 ⑦前置詞を伴う関係代名詞 ⑧There is（are）～の疑問文 ⑨疑問詞 what ⑩疑問詞 why

❶ Is this the apple pie (which/that) she made? —No, it isn't.

❷ He went to see the doctor yesterday because he had a stomachache.

❸ Cooking with my grandmother is a lot of fun.

❹ Will they come to the party?

❺ If it snows tomorrow, I will make a snowman.

❻ Do you have anything [something] to read?

❼ That restaurant the door of which is green is famous around here.

❽ Is there a park where we can play soccer near your house? —Yes, there is.

❾ What did you eat for breakfast?

❿ Why didn't you read the newspaper?

48

文型シャッフルトレーニング

DISC❷TRACK08

❶ 彼がとてもゆっくり話したので、彼女は眠ってしまった。
(so～that…を使用)

❷ その外国人にとって、漢字を読むことは難しい。(動名詞を使って)

❸ 明日東京は雨でしょう。

❹ このピアノに触れてもいいでしょうか？　―はい、よろしいですよ。

❺ 彼らは全力を尽くしましたか？

❻ あなたには聴き上手になって欲しいわ。

❼ 彼女は同じ話を繰り返した。

❽ 彼は娘に昼食を作ってくれるように頼んだ。

❾ 彼女は、ご主人と御一緒なんですよね？　―はい、そうです。

❿ 彼らには息子が３人と、娘が２人いる。

ワンポイントアドバイス ①so～that…（とても～なので…だ） ②動名詞 ③will（単純未来） ④助動詞 may（～してもよい） ⑤一般動詞の疑問文 ⑥SVO＋to 不定詞 ⑦一般動詞過去形 ⑧SVO＋to 不定詞 ⑨付加疑問文 ⑩一般動詞の現在形

❶ He spoke so slowly that she fell asleep.

❷ Reading Chinese characters is difficult for the foreigner.

❸ It will be rainy in Tokyo tomorrow.

❹ May I touch this piano? —Yes, you may.

❺ Did they do their best?

❻ I want you to be a good listener.

❼ She repeated the same story.

❽ He asked his daughter to cook lunch.

❾ She is with her husband, isn't she? —Yes, she is.

❿ They have three sons and two daughters.

49 文型シャッフルトレーニング

DISC❷TRACK09

❶ あの子供たちは何てかわいらしいのでしょう！

❷ あなたはアフリカに何回行ったことがありますか？
—2回行ったことがあります。

❸ 彼はその新聞を読んでいるときに（=読んでいる間に）辞書を使った。

❹ もう1杯ジュースをいただけますか？

❺ この人形は木でできているのですか？　—はい、そうです。

❻ 彼はあなたにプレゼントをくれましたか？　—はい、くれました。

❼ これらの機械はどこで作られたのですか？

❽ ロバートは宿題をしませんでしたね？

❾ この動物たちの世話をすることが私の仕事です。（動名詞主語で）

❿ あなたの両親はそれを聞いて残念がるでしょう。

ワンポイントアドバイス　①感嘆文　②how many と現在完了（経験）
③従属節　④助動詞 can　⑤受身　⑥SVOO（二重目的語）

❶ How cute those children are!

❷ How many times have you been to Africa?
—I have been there twice.

❸ He used a dictionary while he was reading the newspaper.

❹ Can I have another glass of juice?

❺ Is this doll made of wood? —Yes, it is.

❻ Did he give you a present? —Yes, he did.

❼ Where were these machines made?

❽ Robert didn't do his homework, did he?

❾ Taking care of these animals is my job.

❿ Your parents will be sorry to hear it.

⑦疑問詞 where と受身　⑧付加疑問文　⑨動名詞　⑩不定詞の副詞的用法（感情の原因）

50 文型シャッフルトレーニング

DISC②TRACK10

❶ その外国人は日本語を2年勉強しています。

❷ 彼はまた遅刻しました。

❸ あなたは息子さんに何になってほしいですか？
—作家になって欲しいです。

❹ 私は君ほど若くないのだよ。

❺ 僕が彼にはじめて会ったとき、彼は20歳だった。

❻ 彼女は、その男が彼女の車を盗んだと思っているのですか？

❼ 彼女は中華料理より日本食の方が好きなのですか？
—はい、そうです。

❽ あの女性はとても疲れているように見えますね？
—はい、そうですね。

❾ 彼はその画家に描かれた絵を何枚か持っています。(分詞使用)

❿ 図書館への道を教えてくれますか？

ワンポイントアドバイス ①現在完了進行形　②過去形の文　③疑問詞 what と SVO＋to 不定詞　④原級比較 as～as　⑤when 節　⑥that 節　⑦比較　⑧一般動詞の SVC と付加疑問文　⑨過去分詞　⑩依頼の will

❶ The foreigner has been studying Japanese for two years.

❷ He was late again. / He came late again.

❸ What do you want your son to be [become] ?
—I want him to be [become] a writer.

❹ I am not as young as you.

❺ When I first met him, he was twenty years old.

❻ Does she think that the man stole her car?

❼ Does she like Japanese food better than Chinese food?
—Yes, she does.

❽ The woman looks very tired, doesn't she?
—Yes, she does.

❾ He has some pictures painted [drawn] by the painter.

❿ Will you please tell me the way to the library?

2
Training
文型コンビネーショントレーニング

文型コンビネーション編　トレーニングの指針

文型コンビネーション英作文のねらい

文型コンビネーション英作文では、1つの文の中に複数の文型が結合されているものを扱います。シャッフル編では、次々と現われるさまざまな文型に反応することで、文型へのアクセス能力を鍛えました。このコンビネーション編では、さらに発展したトレーニングを行います。シャッフル編では、1文に基本的に1つの文型が使われていますが、このコンビネーション編では、いくつかの文型を組み合わせて1つの文を作るのです。

英語で（日本語においてもそうですが）、「ご機嫌いかがですか？」「きょうは良い天気ですね」程度のやり取りを超えて、内容のあることを言おうとするとき、文が長くなり、その中にいくつかの文型パターンが応用的に結合されているものです。従って、本編のコンビネーション英作文は、英語で内容のあることを話すということに直接効果を発します。

本編においても、扱う文型は中学レベルの基本文型と、若干の発展的な文型に絞っています。しかし、実際にトレーニングに入っていただくとおわかりになると思いますが、これらの文型の応用性は極めて高いものです。実際、英語の母語話者による会話、インタビューなどのトランスクリプション（書き起こしたもの）を読んでみると、ほとんど基本的文型の枠に収まっていることに気付かされます。もちろん、原稿のある、文学的表現の多く盛り込まれたスピーチなどはその限りではありませんが、自然な話し言葉であれば、どれほど知的レベルの高い内容であれ、ほとんど中学英語プラス・アルファのレベルの英語で構成されているものです。ただ、これらの基本文型が実に自由自在に組み合わされているのです。もちろん、必要に応じて、難語や、ネイティブ・スピーカーならではの、こなれたフレーズも織り込まれます。しかし、こうした、高度な語彙の問題は次のステージに譲り、本編の文型コンビネーション英作文では、基本文型を応用的に組み合わせる練習に集中します。

また、コンビネーション英作文の効果は、読解、リスニングなど、英語力の他の側面にも現れます。本編では、文型の結合練習ということで、かなり長く、屈折のある文を作るトレーニングを行います。そのことで、自ら作れる文のレベルが引き上げられます。通常自分がアウトプットできる文の数倍複雑な文を読み解き、聴き取ることができるので、アウトプット能力の底上げが、読解力やリスニング能力を自動的に引き上げてくれるのです。

本編で使う文のレベルと性質

本編の Part1（200 文）では、中学 2 年程度のレベル、Part2（300 文）では、中学全学年レベルの文型が用いられます。但し、Part2 では、現行の中学英語では教えられない文型も一部扱います。

1 例は、「過去完了」です。中学で習う「現在完了」が、「現時点」が基準になるのに対して、「過去完了」では、「過去の 1 点」を基準にします。基準点を過去にスライドするだけですから、全く新しい発想を必要とするわけではありません。その他のやや発展的な文型もそれ以前の、より基本的な文型が身についていれば、無理なく理解、使用することができるものにとどめています。

また、Part2 で顕著ですが、1 文が、かなり長く複雑なものが多くなります。実際の会話では、2 つ以上の文に分けて言うことも、敢えて、1 つの文にしています。本編の目的は、気のきいた表現を覚えることではなく、基本文型の引き出し・結合能力を極限まで高めることだからです。ですから、解答例の英文は、文法・文型的に可能な文で、発話としての自然さは、多少犠牲にしています。言ってみれば、実戦の局面より複雑な手筋が織り込まれる詰め将棋や、チェス・プロブレム、あるいは、筋肉を効果的に増やすために、多少重い負荷を使って行うウェートトレーニングのようなものです。

いくつかの文型が応用・結合された複雑な文を正確に作れるようになると、単純な文を作ることが、実にたやすく感じられるようになるでしょう。

本編のトレーニング法

基本的に、シャッフル編と同じ手順でトレーニングします。注意を要するのは、文が複雑で長くなるので、単純な暗記に頼りがちになることです。本編の文は、純粋に文型の結合練習のために作成した文です。詩や格言のように文学的価値や処世の智慧など一切含まれていませんので、丸覚えしてもなんのプラスもありません。

あくまでも、文型へのアクセス・結合のみに集中し、答え合わせの後の、英文を口に落ち着ける作業も、機械的な暗記が起こる前に切り上げるといいでしょう。こうして、暗記に頼ることなく、サイクルを重ねるにつれて、自然に、文型へのアクセス、その結合が楽にスピーディーになるようにします。

本編のコンビネーション英作文はかなり複雑で、文も長いものが多くなりますが、口頭の英作文ができるように心がけてください。最初の段階では、暗算が難しいときに紙に計算式を書いて計算を行うように、英作文を書き付けてみてもいいのですが、最終的に必ず口に落ち着けるように努力してください。口頭で行うということが、瞬間英作文の本質だからです。

はじめは困難に感じるかもしれませんが、第1ステージをしっかりと完成した上で、シャッフル英作文のトレーニングを終えた人なら、必ず口頭でできるようになります。

CDの使い方

本編については、CDには、英文だけが収録されていて、引き金の日本語と、ポーズはありません。

本編のコンビネーション英作文の英文は、かなり複雑で長いので、瞬間的に反応するには無理があります。もしできるとすると、その人は相当に英語を使いこなせる人で、既に瞬間英作文回路も完成しているといえます。つまり、力をつけるためのトレーニングではなく、既にある能力を確認しているだけといえます。

この本を利用するほとんどの人は、それ以前のレベルにあると思います。その場合、サイクル回しで、徐々にポーズ間に英文が収まるようになっても、単純に音声による暗記の方が先に起こってしまうことのほうが多いのです。

そういう理由から、音声の確認のための英文だけの収録としました。本編も、あくまで口頭で英作文を行いますので、ネイティブ・スピーカーの音声で発音・イントネーションを確かめてください。

文型コンビネーション英作文
トレーニングの仕方

1文中で複数の文型を組み合わせて使うトレーニングをします。

01

Part1 中学1・2年
文型コンビネーショントレーニング
DISC❷TRACK11

❶ 彼は若いときに、英語を学ぶためにイギリスに行きました。

❷ 明日彼女は本を何冊か借りに図書館に行くでしょう。

❸ 私は彼が学校に行くとき、その帽子を被ることを知っています。

❹ 何かあなたに食べるものを持ってきましょうか？
—はい、お願いします。

❺ あなたはどっちのオレンジを食べたいですか？

❻ このクラスで誰が1番一生懸命勉強しますか？　—トムです。

❼ 私は、彼はこの町に3年以上住んでいると思います。

❽ 彼女はピアノを弾いているときとても幸せそうだ。

❾ 彼は自分の自転車は僕のよりいいと信じている。

❿ 君は宿題をもうしたよね？　—うん、したよ。

ワンポイントアドバイス　①When 節と不定詞の副詞的用法のコンビネーションです。 ②単純未来の文で、不定詞の副詞的用法(目的)を使います。 ③that 節と when 節のコンビネーション。 ④申し出の shall と、不定詞の形容詞的用法の組み合わせ。 ⑤疑問詞 which と不定詞の名詞的用法。 ⑥who～の疑問文で最

130

「引き金」の日本文は長く複雑になりますが、口頭で英作文ができるようにします。

使うべき文型の組み合わせが指示されています。

CD 英文だけが吹き込まれています。発音・イントネーションの確認及びリスニングの練習に使います。

❶ He went to England to study [learn] English when he was young.

❷ She will go to the library to borrow some books tomorrow.

❸ I know (that) he wears the cap when he goes to school

❹ Shall I bring you something to eat?
—Yes, please.

❺ Which orange do you want to eat?

❻ Who studies (the) hardest in this class? —Tom does.

❼ I think (that) he has lived in this town for more than [over] three years.

❽ She looks very happy when she is playing the piano.

❾ He believes (that) his bicycle is better than mine.

❿ You have already done your homework, haven't you?
—Yes, I have.

上級を使います。 ⑦that 節の中が現在完了形になっています。 ⑧一般動詞のSVC と when 節のミックス。 ⑨that 節の中は比較の文。 ⑩現在完了と付加疑問文の組み合わせ。

131

1文に複数の文型が使われた英文です。口に落ち着けるときに単なる暗記にならないよう注意します。

＊本編の英文では中学文型とそれ以降のやや発展的な文型が使われています。本編は実用例文集ではありません。文型の応用・結合能力を鍛えることを目的としているので、実際に会話で使う文より、複雑で長いものが多くなっています。

01 Part1 中学１・２年

文型コンビネーショントレーニング

DISC❷TRACK11

❶ 彼は若いときに、英語を学ぶためにイギリスに行きました。

❷ 明日彼女は本を何冊か借りに図書館に行くでしょう。

❸ 私は彼が学校に行くとき、その帽子を被ることを知っています。

❹ 何かあなたに食べるものを持ってきましょうか？
―はい、お願いします。

❺ あなたはどっちのオレンジを食べたいですか？

❻ このクラスで誰が１番一生懸命勉強しますか？　―トムです。

❼ 私は、彼はこの町に３年以上住んでいると思います。

❽ 彼女はピアノを弾いているときとても幸せそうだ。

❾ 彼は自分の自転車は僕のよりいいと信じている。

❿ 君は宿題をもうしたよね？　―うん、したよ。

ワンポイントアドバイス　①When 節と不定詞の副詞的用法のコンビネーションです。　②単純未来の文で、不定詞の副詞的用法（目的）を使います。　③that 節と when 節のコンビネーション。　④申し出の shall と、不定詞の形容詞的用法の組み合わせ。　⑤疑問詞 which と不定詞の名詞的用法。　⑥who～の疑問文で最

❶ He went to England to study [learn] English when he was young.

❷ She will go to the library to borrow some books tomorrow.

❸ I know (that) he wears the cap when he goes to school.

❹ Shall I bring you something to eat?
—Yes, please.

❺ Which orange do you want to eat?

❻ Who studies (the) hardest in this class? —Tom does.

❼ I think (that) he has lived in this town for more than [over] three years.

❽ She looks very happy when she is playing the piano.

❾ He believes (that) his bicycle is better than mine.

❿ You have already done your homework, haven't you?
—Yes, I have.

上級を使います。⑦that 節の中が現在完了形になっています。⑧一般動詞のSVC と when 節のミックス。⑨that 節の中は比較の文。⑩現在完了と付加疑問文の組み合わせ。

02 Part1 中学１・２年
文型コンビネーショントレーニング
DISC❷TRACK12

❶ あなたはこの机は木でできていると思いますか？

❷ 彼は先生に叱られたとき泣き出した。

❸ この本は誰に書かれましたか？
―ヘミングウェイに書かれました。

❹ 君は本屋で、何の本を買ったの？
―漫画の本を買ったよ。

❺ 誰が私に会うためにここに来たのですか？　―あなたの生徒です。

❻ 彼女はお母さんに花をあげたかった。

❼ 私はこのクラスで１番頭のいい生徒と会いたい。

❽ 私は、彼にはしなければならない宿題（するための宿題）があったのだと思います。

❾ あなたは、トラはライオンよりずっと強いと思いますか？

❿ あなたは、彼は以前にアメリカに行ったことがあると思いますか？
―はい、思います。

ワンポイントアドバイス ①that 節が受身の文です。 ②when 節と、不定詞の名詞的用法のコンビネーション。 ③疑問詞 who の疑問文ですが、受動態です。 ④what の疑問文。 ⑤who の疑問詞主語の文で不定詞の副詞的用法（目的）が使われます。 ⑥SVOO（二重目的語）の文に、不定詞の名詞的用法が一味

❶ Do you think that this desk is made of wood?

❷ When he was scolded by the teacher, he began to cry.

❸ By whom was this book written? / Whom [Who] was this book written by? —It was written by Hemingway.

❹ What book did you buy at the bookstore?
—I bought a comic book.

❺ Who came here to see me? —Your student did.

❻ She wanted to give her mother some flowers. / She wanted to give some flowers to her mother.

❼ I want to see the smartest [cleverest] student in this class.

❽ I think (that) he had some homework to do.

❾ Do you think that a tiger is much stronger than a lion?

❿ Do you think (that) he has been to America before?
—Yes, I think he has.

つけます。 ⑦不定詞の名詞的用法と最上級のミックス。 ⑧that 節の中に、不定詞の形容詞的用法が入っています。 ⑨that 節と比較。 ⑩that 節の時制は現在完了です。

03

Part1 中学１・２年
文型コンビネーショントレーニング
DISC❷TRACK13

❶ 先日彼に会ったとき、彼はドイツ語を習うつもりだと言った。

❷ 僕は、彼はもう夕食を食べてしまったと思う。

❸ この試験に受かるためには、私は何冊の本を読まなければなりませんか？

❹ 何か飲むものを買いにコンビニに行こう。

❺ 私はこの本は多くの人に読まれることと信じている。

❻ 昨日彼は、その仕事をするために、何時に起きなければなりませんでしたか？

❼ 私が昨日の夕方その公園に行ったとき、子供がひとりもいなかった。

❽ 彼は料理の勉強をするためにフランスに行きたいと言った。

❾ 友達にりんごをあげるなんて、彼はなんと親切だったのでしょう！

❿ この絵は、僕が子供の頃、僕の叔父によって描かれました。

ワンポイントアドバイス ①when の従属節と、that 節を伴う主節の複文です。②that 節で現在完了を用います。③how many～の疑問文で、have to と不定詞の副詞的用法が使われます。④let's～に不定詞の副詞的用法を加えています。⑤that 節と受身のコンビネーション。⑥what time～の文で have to と不

❶ When I saw him the other day, he said (that) he was going to learn German.

❷ I think that he has already eaten [had] dinner.

❸ How many books do I have to read to pass this examination?

❹ Let's go to a convenience store to buy something to drink.

❺ I believe that this book will be read by many people.

❻ What time did he have to get up to do the work yesterday?

❼ When I went to the park yesterday evening, there weren't any children.

❽ He said (that) he wanted to go to France to study cooking.

❾ How kind he was to give an apple to his friend!

❿ This picture was painted by my uncle when I was a child.

定詞の副詞的用法を使います。 ⑦when 節を持つ文。主節は、there is (are) ～の否定文です。 ⑧that 節と不定詞の副詞的用法のコンビネーション。 ⑨感嘆文と不定詞の副詞的用法の組み合わせです。 ⑩When 節と受身のコンビネーション。

04 Part1 中学１・２年
文型コンビネーショントレーニング

DISC❷TRACK14

❶ 他の子供が外で遊んでいるとき、私は、家で勉強しなければならなかった。

❷ 毎週あなたを家まで車で送ってくれるなんて、彼はなんて親切なんだろう。

❸ あなたに水を１杯持ってきてあげましょうか？
—はい、お願いします。

❹ 僕のために夕食を作ってくれるかい？　—うん、いいよ。

❺ 子供のとき、彼は毎日とても一生懸命勉強しなければならなかった。

❻ 私は、英語を勉強することは大切だと思う。

❼ 彼は、僕と話す時間はないと言った。

❽ 彼が古い辞書を僕にくれたのを、あなたは覚えていますか？

❾ 僕は、彼らはその船を見て、とても嬉しかったのだと思うよ。

❿ 僕が彼の部屋に入ったとき、彼はその箱を開けようとしていた。

ワンポイントアドバイス ①When 節と have to のコンビネーション。②感嘆文と不定詞の副詞的用法の組み合わせ。③申し出の shall の文が、SVOO（二重目的語）の文型になっています。④依頼の will you～と SVO＋for（あるいは SVOO＝二重目的語）のミックス。⑤when の従属節と、have to～を伴う主節の複文です。⑥that 節の中で動名詞を使います。⑦that 節と不定詞の形容詞

❶ When other children were playing outside, I had to study at home.

❷ How kind he is to drive you home every week!

❸ Shall I bring you a glass of water? / Shall I bring a glass of water to you? —Yes, please.

❹ Will you please cook［make］dinner for me? —Sure.

❺ When he was a child, he had to study very hard every day.

❻ I think（that）studying English is important.

❼ He said that he didn't have any time to talk to［with］me. / He said that he had no time to talk to［with］me.

❽ Do you remember that he gave me an old dictionary? / Do you remember that he gave an old dictionary to me?

❾ I think（that）they were very happy to see the ship.

❿ When I went into his room, he was trying to open the box.

的用法のコンビネーション。⑧that 節で、SVOO（あるいは SVO＋to）を用います。⑨that 節と不定詞の副詞的用法（感情の原因）の組み合わせです。⑩when 節と、不定詞の名詞的用法のコンビネーション。主節の時制は過去進行形です。

05 Part1 中学１・２年
文型コンビネーショントレーニング
DISC❷TRACK15

❶ 誰がこの部屋を掃除しなければならないのですか？　―僕です。

❷ 僕は、彼は一度もカンガルーを見たことがないのだと思う。

❸ 彼は、彼の部屋は僕の部屋よりずっときれいだと言う。

❹ どちらの少年が私に会いにくるのですか？

❺ 彼女は、フランス語は英語より難しいと感じた。

❻ 彼は彼女に会うためにフランスに行くことを決めた。

❼ 僕は、君がもう皿を全部洗ってしまったなんて、信じられない。

❽ 彼女は自分は他の生徒たちよりも頭がいいと思っている。

❾ この花はあの花よりいい香りがする。

❿ 彼は怒っているようだね？

ワンポイントアドバイス ①who の疑問詞主語と must［have to］のコンビネーション。②that 節と現在完了　③that 節で比較を用います。④which～の疑問文で、不定詞の副詞的用法を使います。⑤that 節と比較のコンビネーション。⑥不定詞の名詞的用法と不定詞の副詞的用法の連射。⑦that 節と現在

❶ Who must [has to] clean this room? —I must (do).

❷ I think that he has never seen a kangaroo.

❸ He says that his room is much cleaner than mine.

❹ Which boy will come to see me?

❺ She felt that French is more difficult than English.

❻ He decided to go to France to see her.

❼ I can't believe that you have already washed all the dishes.

❽ She thinks (that) she is smarter [cleverer] than the other students.

❾ This flower smells better than that one.

❿ He looks angry, doesn't he?

完了の組み合わせです。⑧that 節と比較のコンビネーション。⑨一般動詞の SVC の文に比較が花を添えます。⑩一般動詞の SVC に付加疑問文をミックスします。

06 Part1 中学１・２年
文型コンビネーショントレーニング
DISC❷TRACK16

❶ その問題を解くために君は誰の辞書を借りたの？
—トムのを借りた。

❷ 君はどっちの本を読みたいの？
—この本が読みたい。

❸ 君は、明日彼にはすること（するためのなにか）があると思うかい？

❹ この鉛筆はまだ誰にも使われていない。

❺ 僕は、こんなに美しい虹を見たことはないと思うよ。

❻ 僕にとっては英語を読むほうが話すことよりずっと簡単です。

❼ その町に住んでいたとき、僕は一度彼女に会ったことがある。

❽ 彼女が朝起きたとき、雨が降っていました。

❾ 僕の弟は、いつかエッフェル塔を見るためにフランスに行くんだと言っている。

❿ 君は起きてから何杯のコーヒーを飲んだ？
—3 杯か 4 杯飲んだと思うよ。

ワンポイントアドバイス ①whose～の疑問文で不定詞の副詞的用法（目的）を使用します。 ②which の疑問文ですが、不定詞の名詞的方法が加わっています。 ③that 節と不定詞の形容詞的用法のコンビネーション。 ④現在完了時制の受身の文です。 ⑤that 節と現在完了のコンビネーション。 ⑥動名詞ダブルと

❶ Whose dictionary did you borrow to solve the problem?
—I borrowed Tom's.

❷ Which book do you want to read?
—I want to read this one.

❸ Do you think（that）he has something to do tomorrow?

❹ This pencil has not been used by anybody yet.

❺ I think that I have never seen such a beautiful rainbow.

❻ Reading English is much easier for me than speaking English.

❼ I met her once when I lived in the town.

❽ It was raining when she got up in the morning.

❾ My brother says（that）he will go to France some day to see the Eiffel Tower.

❿ How many cups of coffee have you drunk［had］since you got up? —I think（that）I have drunk［had］three or four cups（of coffee）.

比較の文です。 ⑦when の従属節。主節の時制は現在完了ではありません。 ⑧when 節と過去進行形の組み合わせ。 ⑨that 節と不定詞の副詞的用法のコンビネーション。 ⑩how many～の疑問文。時制は現在完了。

07

Part1 中学１・２年
文型コンビネーショントレーニング

DISC❷TRACK17

❶ 君はなぜその箱を開けようとしてるの？

❷ 食べてみれば（=食べるとき）、あなたは、これらのりんご（複数）が、とっても美味しいということがわかるでしょう。（動詞 taste を使用）

❸ 誰が、彼が病気だと言ったの？

❹ 僕が彼と電話で話したとき、彼は元気そうだった（動詞 sound 使用）。

❺ その部屋は誰に掃除されましたか？

❻ あなたはいくつの言語を学ぼうとしてきましたか？

❼ 彼は５年前より、若く見える。

❽ 彼は、自分の妻は町の女性たちの中で１番きれいだと信じている。

❾ 僕は、彼女の趣味がピアノを弾くことであると知らなかった。

❿ 去年彼に会ったとき、彼は僕より小さかった。

ワンポイントアドバイス ①why～の疑問文で不定詞の名詞的用法が使われます。時制は進行形です。 ②when 節、that 節、一般動詞の SVC のトリプル。③who の疑問詞主語文。that 節を伴います。 ④when 節と、一般動詞の SVC の組み合わせ。 ⑤受動態の who～の疑問文。 ⑥現在完了時制の、how many～の

❶ Why are you trying to open the box?

❷ When you eat these apples, you will find that they taste very good.

❸ Who said (that) he was sick [ill] ?

❹ When I talked to [with] him on [over] the phone, he sounded fine.

❺ Who(m) was the room cleaned by? / By whom was the room cleaned?

❻ How many languages have you tried to learn?

❼ He looks younger than five years ago. / He looks younger than he did five years ago.

❽ He believes (that) his wife is the most beautiful of all the women in town.

❾ I didn't know that her hobby was playing the piano.

❿ When I saw him last year, he was smaller than I [me].

疑問文です。不定詞の名詞的用法を用います。 ⑦一般動詞の SVC に比較が加わっています。 ⑧that 節の中で最上級が使われる文です。 ⑨that 節と動名詞のコンビネーション。 ⑩when 節と比較。

08 Part1 中学１・２年
文型コンビネーショントレーニング
DISC❷TRACK18

❶ 私は、そのケーキは彼に食べられてしまったのだと思います。
（that 節の時制は現在完了で）

❷ 誰が罰されなければならないのでしょうか？

❸ 僕に筆記用具（書くための何か）を貸してくれるかい？
—いいよ。

❹ 彼は川で釣りをするのが他のどんなことより好きです。

❺ 君は彼女が何度も外国に行ったことがあるって知ってる？

❻ 私たちは、その建物が氷でできているとは信じられなかった。

❼ あなたはもうこの本を読んでしまったのですね？
—はい、そうです。

❽ 僕が昨晩彼の家を訪れたとき、彼は奥さんとテレビを見ていた。

❾ 彼の話は本当のように聞こえるよね？

❿ 私は、彼女は５年以上彼と知り合いと、聞いています。

ワンポイントアドバイス ①that 節、現在完了、受身のトリプル。 ②who の疑問詞主語文。have to [must] と受身が組み合わされています。 ③依頼の will you～の文。不定詞の形容詞的用法も使います。 ④動名詞と比較のコンビネーション。 ⑤that 節の中の時制は現在完了です。 ⑥that 節と受身のミックス。

料金受取人払郵便

牛込局承認

9513

差出有効期間
2021年12月22日
まで

(切手不要)

郵便はがき

162-8790

東京都新宿区
岩戸町12レベッカビル
ベレ出版

読者カード係　行

お名前	年齢
ご住所　〒	

電話番号	性別	ご職業
メールアドレス		

個人情報は小社の読者サービス向上のために活用させていただきます。

ご購読ありがとうございました。ご意見、ご感想をお聞かせください。

● ご購入された書籍

● ご意見、ご感想

● 図書目録の送付を　□ 希望する　□ 希望しない

ご協力ありがとうございました。
小社の新刊などの情報が届くメールマガジンをご希望される方は、
小社ホームページ（https://www.beret.co.jp/）からご登録くださいませ。

❶ I think that the cake has been eaten by him.

❷ Who has to［must］be punished?

❸ Will you please lend me something to write with?
—Sure.

❹ He likes fishing in the river better than any other thing.

❺ Do you know（that）she has been abroad many times?

❻ We couldn't believe that the building was made of ice.

❼ You have already read this book, haven't you?
—Yes, I have.

❽ When I visited his house last night, he was watching TV with his wife.

❾ His story sounds true, doesn't it?

❿ I hear that she has known him for over［more than］five years.

⑦現在完了と付加疑問文。 ⑧when 節を伴う文。主節の時制は進行形。 ⑨一般動詞の SVC と付加疑問文の組み合わせ。 ⑩that 節が完了時制になります。

09

Part1　中学１・２年

文型コンビネーショントレーニング

DISC❷TRACK19

❶ 彼女はそのテストのために他のどの生徒よりも一生懸命勉強した。

❷ 自分の車が故障したとき、あなたは誰の車を借りたのですか？

❸ その記事によると、その晩たくさんの流れ星が見られたそうだ。

❹ あの犬に何か食べ物をあげようか？
—うん、あげよう。

❺ その男は、今よりもずっと多くの金を稼ぎたがっている。

❻ 彼女は、英語の勉強をはじめるために、その辞書を買おうと決めたのですか？

❼ この仕事をやり終えたら、あのきれいな川で泳ごうか？
—うん、そうしよう。

❽ 僕は彼が肉より野菜の方が好きだとは知らなかった。

❾ あなたはそこに１度も行ったことが無いのですね？
—はい、ありません。

❿ その３人の男性の中で１番若いのは誰でしたか？

ワンポイントアドバイス　①比較と過去形。②whose の疑問文が、when 節を伴います。③that 節と受身のコンビネーション。④勧誘の shall と不定詞の形容詞的用法。⑤不定詞の名詞的用法と比較のコンビネーション。⑥名詞的

❶ She studied harder than any other student for the examination.

❷ Whose car did you borrow when yours broke down?

❸ The article says that many shooting stars were seen that evening.

❹ Shall we give the dog something to eat? / Shall we give something to eat to the dog? —Yes, let's.

❺ The man wants to earn much more money than（he does）now.

❻ Did she decide to buy that dictionary to begin to study English?

❼ Shall we swim in that beautiful river when we finish this job? —Yes, let's.

❽ I didn't know（that）he liked vegetables better than meat.

❾ You have never been there, have you?
—No, I haven't.

❿ Who was the youngest of the three men?

用法と副詞的用法の組み合わせ。 ⑦勧誘の shall の文が、when 節を伴います。 ⑧that 節の中で比較を使います。 ⑨現在完了と付加疑問文のコンビネーション。 ⑩who の疑問文で最上級が使われます。

10

Part1　中学１・２年

文型コンビネーショントレーニング

DISC②TRACK20

❶ 彼女が外に出たとき、雨が突然降り始めました。

❷ 彼女はいつも他のどの科目より音楽が好きだと言っている。

❸ あなたはこのコンピューターが使われたことがあると思いますか？

❹ 僕は彼に１度会っていると思うよ。

❺ この花はいい香りがしますね？

❻ その少年は成長すると、その国の王になりました。

❼ 今年、(今までに) この道で10回ぐらい事故があったのを知ってる？

❽ あなたは、彼は日本に来てから、ずっと東京にいるということを知っていますか？

❾ 彼女に初めて会ったとき、彼は、彼女は自分と同じくらい孤独なのだと感じた。

❿ 彼女は美しくありつづけるために、どのように生活していますか？

ワンポイントアドバイス　①when節と、不定詞の名詞的用法（あるいは動名詞）の組み合わせです。②that節と比較のミックスです。③that節と現在完了。④that節と現在完了のミックス。⑤一般動詞のSVCと付加疑問文のコンビネーション。⑥whenの従属節を伴う複文。主節では一般動詞のSVCを用

❶ It began to rain suddenly when she went out.

❷ She always says (that) she likes music better than any other subject.

❸ Do you think that this computer has ever been used?

❹ I think (that) I have once met him.

❺ This flower smells good, doesn't it?

❻ The boy became the king of the country when he grew up.

❼ Do you know that there have been about ten accidents on this road this year?

❽ Do you know that he has been in Tokyo since he came to Japan?

❾ When he met her for the first time, he felt (that) she was as lonely as he was.

❿ How does she live to keep beautiful?

います。 ⑦現在完了時制で。There is (are) ～の文。 ⑧that 節と現在完了のコンビネーション。 ⑨when 節を伴う文。主節では that 節と as～as を使います。⑩不定詞の副詞的用法と一般動詞の SVC。

11

Part1 中学1・2年
文型コンビネーショントレーニング

DISC❷TRACK21

❶ かばんを置き忘れるなんて、君はなんて不注意なんだ！

❷ 英語が話せるので、彼は外国で働く機会を手に入れた。
(動名詞主語で)

❸ この文は音読されなければならない。

❹ 恋に落ちることは、恋をし続けることより、ずっと簡単だ。

❺ 歯を磨かずに寝てはいけません。

❻ 僕の姉は音楽を勉強するためにイタリアに行くことを望んでいる。

❼ 僕は、彼は木から落ちたときに、足を折ってしまったのだと思う。

❽ 3台のうちで、この車が1番頻繁に、(その) 父に使われます。

❾ なぜ君は、海釣りは川釣りよりおもしろいと思うの？

❿ そのりんごは見た目よりずっと美味しかった。

使用語句：①置き忘れる leave～behind　②機会 chance　③音読する read aloud
④愛し続ける keep in love　⑤歯を磨く brush one's teeth
⑦木から落ちる fall off the tree　⑨釣りをする fish

ワンポイントアドバイス ①感嘆文と不定詞の副詞的用法の組み合わせ。②動名詞と不定詞の形容詞的用法　③must と受身　④動名詞と比較　⑤must と動名詞　⑥名詞的用法と副詞的用法のダブル不定詞　⑦that 節の中で when 節が

❶ How careless you are to leave your bag behind!

❷ Being able to speak English gave him a chance to work abroad.

❸ This sentence must［has to］be read aloud.

❹ Falling in love is much easier than staying（keeping）in love.

❺ You must not go to bed without brushing your teeth.

❻ My sister wants to go to Italy to study music.

❼ I think that he broke his leg when he fell off the tree.

❽ This car is used（the）most often of the three by the father.

❾ Why do you think that fishing in the sea is more interesting than fishing in the river?

❿ The apple tasted much better than it looked.

使われます。 ⑧受け身と最上級の組み合わせ。
⑨that 節と比較の文 ⑩比較と一般動詞の SVC のコンビネーション。

12 Part1 中学１・２年
文型コンビネーショントレーニング
DISC❷TRACK22

❶ 健康でいるためには何が１番重要ですか？

❷ あいつは、(昔からずっと) いつも僕より、ちょっと幸運なんだ。

❸ その寺院は、多くの外国人に訪れられてきたことを、あなたは知っていますか？

❹ 生徒たちを教えることはその先生に大きな喜びを与える。

❺ 自由であることはあなたにとって、お金持ちであることより大切ですか？

❻ 来週彼らに見せる写真を、あなたはどこで撮るつもりなのですか？

❼ 夫がその家を買うことをもう決めてしまったことを、彼女は知らない。

❽ あの少年たちが、僕たちより長くこの町に住んでいることを、あなたは知っていますか？

❾ 多くの人が本を読むより、テレビを見る方が好きなのを、彼は信じられない。

❿ 彼女は、猫は犬よりずっと優美な動物だと思っている。

使用語句：④喜び joy　⑩優美な elegant

ワンポイントアドバイス ①最上級と不定詞の副詞的用法のコンビネーション　②現在完了と比較　③that 節と現在完了の受身　④動名詞と SVOO の組み合わせです。　⑤動名詞と比較の組み合わせ　⑥be going to と関係代名詞の目

❶ What is the most important to keep healthy?

❷ He has been a little luckier than me [I].

❸ Do you know that the temple has been visited by many foreigners?

❹ Teaching the students gives the teacher great joy.

❺ Is being free more important for you than being rich?

❻ Where are you going to take the picture (which / that) you will show them next week?

❼ She doesn't know that her husband has already decided to buy the house.

❽ Do you know that those boys have lived in this town longer than us[we] ?

❾ He can't believe that many people like watching TV better than reading books.

❿ She thinks that the cat is a more elegant animal than a dog.

的格のコンビネーション文　⑦that 節と不定詞の名詞的用法　⑧that 節は現在完了形です。⑨that 節、動名詞、比較のトリプル　⑩that 節と比較のコンビネーション

13 Part1 中学1・2年
文型コンビネーショントレーニング
DISC②TRACK23

❶ 彼が彼女にその知らせを伝えたとき、彼女は突然泣き始めた。

❷ 10歳でこの本を読めるなんて、あなたの息子さんは、なんて頭がいい子なんでしょう！

❸ 君は、この図書館に来始めてから、何冊の本を読んだの？

❹ 僕はあなたより美しい女性に会ったことは、1度もありません。

❺ 彼は、彼女が10年以上、ドイツ語を学んでいることを知らない。

❻ 式では、スピーチが3つ予定されています（ある予定です）。

❼ 彼らは、それが黄金でできていると、信じていたのですか？

❽ エミリーが、その試験に受かったとき、他の誰よりも彼女が驚いた。

❾ 将来、現在よりも多くのお金が、あなたに払われるでしょう。

❿ 何千年もの間、この話は多くの人に、信じられてきた。

使用語句：②頭が良い smart　⑥式 ceremony　⑩何千年 thousands of years

ワンポイントアドバイス ①when 節と不定詞の名詞的用法　②感嘆文と不定詞の副詞的用法（感情の原因）のコンビネーション　③現在完了と不定詞の名詞的用法の組み合わせ　④現在完了と比較のミックス　⑤that 節は現在完了形

❶ When he told her the news, she began to cry suddenly.

❷ How smart your son is to be able to read this book at the age of ten!

❸ How many books have you read since you began to come to this library?

❹ I have never met a more beautiful woman than you.

❺ He doesn't know that she has learned German for more than ten years.

❻ There are going to be three speeches at the ceremony.

❼ Did they believe that it was made of gold?

❽ When Emily passed the exam, she was more surprised than anyone else.

❾ In the future more money will be paid to you than now.

❿ This story has been believed by many people for thousands of years.

⑥there is（are）～の文に be going to が挿入されます。 ⑦that 節と受身の文。
⑧when 節と比較のコンビネーション ⑨will（単純未来）の文で、態は受身。
⑩時制は現在完了、態は受身の文です。

14

Part1 中学１・２年
文型コンビネーショントレーニング

DISC❷TRACK24

❶ この言語は、すべての生徒に教えられなければならないのですか？

❷ その男性は、彼女に挨拶しないで、歩き続けた。

❸ 青年は、恋人を驚かすために、指輪を買うためにお金を貯め始めた。

❹ 彼女に助けを求めること無しには、この問題は解決されないでしょう。

❺ あの犬たちは、いつ食べ物を与えられるのですか（予定なのですか）？

❻ 家族と共に毎日夕食を食べることが自分にとってとても大切だと、その忙しいビジネスマンは言った。

❼ その女性は、体重を減らすために、１週間以上も、りんごだけを食べている。

❽ その機械は他の機械より、注意深く使われなければならないでしょう（未来）。

❾ 僕は、彼は10年以上日本にいると思うよ。

❿ 彼女が彼にケーキをあげたとき、彼はその大きさに驚いた。

使用語句：①言語 language　②あいさつする greet　③貯める save　④～に…を求める ask～for…　問題 problem　解決する solve　⑥ビジネスマン businessman　⑦体重を減らす lose weight　⑩大きさ size

ワンポイントアドバイス　①must または have to と受身を使います。②現在分詞と動名詞のコンビネーション　③不定詞の名詞的用法と副詞的用法　④受身と動名詞のミックス。単純未来の will を使って。　⑤疑問詞 when の文で be going to を使います。　⑥ that 節で動名詞主語を用います。　⑦現在完了進行形と

❶ Must this language be taught to all the students? / Does this language have to be taught to all the students?

❷ The man kept walking without greeting her.

❸ The young man began to save money to buy a ring to surprise his girlfriend.

❹ This problem won't be solved without asking her for help.

❺ When are those dogs going to be given food?

❻ The busy businessman said that having dinner with his family every day is very important for him.

❼ The woman has been eating only apples for more than a week to lose weight.

❽ The machine will have to be used more carefully than the other machines.

❾ I think that he has been in Japan for more than ten years.

❿ When she gave him the cake, he was surprised by the size of it.

不定詞の副詞的用法（目的）の組み合わせ。⑧have to と受身のコンビネーション　⑨that 節は現在完了形　⑩when 節と受身のコンビネーション。

15 Part1 中学１・２年
文型コンビネーショントレーニング

DISC❷TRACK25

❶ 日本史を勉強するためには、これらの本の中でどれが１番良いですか？

❷ 君は、練習しないで、ピアノを弾くのが上手になれないのを悟らなきゃダメだよ。

❸ 彼女が星影の下に現れたとき、彼は彼女の美しさに打たれた。

❹ あなたは子供のとき、何をするのを最も楽しみましたか？

❺ 夕食の後、ジャズを聞くのが、彼にとって、1日のうちで最良の時だ。

❻ 彼がその本を読み終わったとき、２時近かった（ほとんど２時だった）。

❼ 君は、誰に車で迎えに来てもらう予定なの？

❽ 彼女は、来週、彼女の犬は、姉に世話してもらう（される）と言っている。

❾ 彼は誰にも見られずに、その店に入りたかった。

❿ 減量するためには、ゆっくり、長く走るのがいいと言われている（彼らは言う）。

使用語句：①日本史 Japanese history　②上手い be good at　悟る realize　③星影 starlight　打つ strike　⑤ジャズ jazz　⑦車で迎えに来る pick up　⑧世話をする take care of　⑩減量する lose weight

ワンポイント アドバイス ①最上級と不定詞の副詞的用法（目的）のコンビネーション　②must または have to、that 節、動名詞のトリプル　③when 節と受身の組み合わせ　④最上級と when 節のコンビネーション　⑤動名詞と最上級

❶ Which is the best of these books to study Japanese history?

❷ You must［have to］realize that you can't be good at playing the piano without practicing.

❸ When she turned up under the starlight, he was struck by her beauty.

❹ What did you enjoy the most when you were a child?

❺ Listening to jazz after dinner is the best time of the day for him.

❻ When he finished reading the book, it was almost two o'clock.

❼ Who(m) are you going to be picked up by? / By whom are you going to be picked up?

❽ She says that her dog will be taken care of by her sister next week.

❾ He wanted to go into the store without being seen by anyone.

❿ They say that running slowly and long is good to lose weight.

のミックス。 ⑥when 節で動名詞が現われます。 ⑦受身の文に be going to を差し込みます。 ⑧that 節は受身　⑨不定詞の名詞的用法と動名詞のコンビネーション　⑩that 節、動名詞、不定詞の副詞的用法（目的）のトリプル

16 Part1 中学１・２年

文型コンビネーショントレーニング

DISC❷TRACK26

❶ ５人の子供の母親であることは大変だと思います。

❷ この仕事では、英語を読めることが、話せることよりずっと重要です。

❸ 誰の車が盗まれたのですか？　―彼のです。

❹ 私が今朝彼と電話で話したとき、彼はとても眠そうだった。

❺ 彼女は、息子は夫と同じくらい背が高くなると信じている。

❻ 君たちが運動していたとき、誰が気分が悪くなったのですか？

❼ 彼の作文は、書き直されなければならないでしょう。

❽ レストランで外食するのと、家族と家で食べるのでは、あなたはどちらの方が好きですか？

❾ 僕がまさに家を出ようとしていたとき、電話が鳴り始めた。

❿ 私は何回、これは子供に触られてはならないと、君に言わなければならないんだ？

使用語句：④眠そう sleepy　⑥運動する exercise　⑦書き直す rewrite
⑧外食する eat out　⑨まさに～しようとしている be about to～

ワンポイントアドバイス　①that 節と動名詞のコンビネーション　②動名詞のダブルと比較の組み合わせです。　③疑問詞 whose の疑問文を受身で。④when 節と一般動詞の SVC　⑤that 節で原級比較 as～as を用います。　⑥一般動詞の SVC と when 節のコンビネーション　⑦受身の文で、will（単純未来）が

❶ I think that being a mother of five children is hard.

❷ Being able to read English is much more important than being able to speak it in this job.

❸ Whose car was stolen? —His was.

❹ When I talked to him on the phone this morning, he sounded very sleepy.

❺ She believes that her son will be as tall as her husband.

❻ Who became sick when you were exercising?

❼ His essay will have to be rewritten.

❽ Which do you like better, eating out at a restaurant or eating at home with your family?

❾ When I was about to leave home, the telephone began to ring.

❿ How many times do I have to tell you that this must not be touched by children? / How many times must I tell you that this must not be touched by children?

使われます。⑧動名詞ダブルと比較のミックス　⑨不定詞を使うフレーズとwhen 節のコンビネーション　⑩how many の疑問文で have to または must、that 節を用います。

17 Part1 中学1・2年

文型コンビネーショントレーニング

DISC❷TRACK27

❶ あの高さから飛び降りることができるなんて、彼はなんて勇敢なんだ！

❷ この会社で働き始めてから、彼は多くのチャンスを与えられてきている。

❸ お母さんが、(それを) お皿に載せたとき、そのケーキはとてもいい匂いがした。

❹ 僕の兄は、エンジニアになるために、数学の猛勉強をし始めた。

❺ いつどこで、彼女は、それを彼らに、手渡すつもりなのですか？

❻ 弟に自分の自転車を壊されたとき、彼はとても怒った。

❼ 他の人たちが帰ってしまったとき、あなたはまだ、やらなければならない仕事がたくさんあったのですか？

❽ 僕の父は、イギリスにいたときに、何度もその博物館を訪れたことがあると言っている。

❾ 彼女は、かわいそうな子供たちを助けるために、その国に行くのだと言った。

❿ 20歳の頃は、私は今の彼女より (今彼女がそうであるより) ずっときれいだったのよ。

使用語句：①高さ height　飛び降りる dive　勇敢な brave　③お皿 plate
④エンジニア engineer　⑤手渡す hand

ワンポイントアドバイス ①感嘆文と不定詞の副詞的用法の組み合わせ　②現在完了の受身と不定詞の名詞的用法を使います。③when 節と一般動詞の SVC のミックス　④不定詞のダブル（名詞的用法と副詞的用法）⑤疑問詞 when、where、be going to を用います。⑥when 節は受身、主節で一般動詞の SVC を使います。⑦when 節と不定詞のコンビネーション　⑧that 節で when 節

❶ How brave he is to be able to dive from that height!

❷ He has been given many chances since he began to work for this company.

❸ The cake smelled very good when my mother put it on the plate.

❹ My brother began to study mathematics very hard to be an engineer.

❺ When and where is she going to hand it to them?

❻ He got very angry when his bicycle was broken by his brother.

❼ Did you still have a lot of work to do when the other people left?

❽ My father says that he visited the museum many times when he was in England.

❾ She said that she would go to the country to save poor children.

❿ When I was twenty, I was much more beautiful than she is.

が現われます。 ⑨that 節と不定詞の組み合わせ ⑩when 節と比較のコンビネーションです。

18

Part1　中学１・２年
文型コンビネーショントレーニング

DISC❷TRACK28

❶ この仕事をするには、僕は何語を学ばなければならないのですか？

❷ 今度会うときは、あなたの息子さんは、私より背が高くなっているでしょうね？

❸ 彼女は、何か飲むものを（飲むための何か）を、買いたいのだと言った。

❹ あの鳥たちは、どのくらいの間、彼らに世話されているのですか？

❺ あなたと同じくらい英語が上手に話せるようになるには、僕はどのぐらい（長く）勉強しなければならないでしょうか？

❻ 目を覚ましているために、彼は何杯もコーヒーを飲まなければならなかった。

❼ なぜ、彼は彼女より速く走ろうとしなかったのですか？

❽ 時計を見たとき、彼はまだ８時になっていないことを知って嬉しかった。

❾ 今度彼女に会ったら（会うとき）、今日より上手く話すぞ。

❿ 僕が彼女にその写真を見せたとき、彼女は叫び出した（始めた）。

使用語句：④世話をする take care of　⑥目が覚めている awake

ワンポイントアドバイス　①must または have to と不定詞の副詞的用法のミックス　②when 節と比較のコンビネーション　③that 節で不定詞の名詞的用法と形容詞的用法を用います。④how long と現在完了の受身のコンビネーション　⑤how long～の疑問文で must（または have to）と不定詞の副詞的用法（目的）を使います。⑥不定詞の副詞的用法（目的）と一般動詞の SVC の組み

❶ What language must I learn to do this work? / What language do I have to learn to do this work?

❷ When I see him next time, your son will be taller than me [I], won't he?

❸ She said (that) she wanted to buy something to drink.

❹ How long have those birds been taken care of by them?

❺ How long must I study English to be able to speak it as well as you? / How long do I have to study English to be able to speak it as well as you?

❻ He had to drink many cups of coffee to keep [stay] awake.

❼ Why didn't he try to run faster than her [she] ?

❽ When he looked at the clock, he was happy to know that it wasn't eight o'clock yet.

❾ When I see her next time, I will speak better than (I did) today.

❿ When I showed her the picture, she began to scream.

合わせ。⑦why の否定疑問文で不定詞の名詞的用法が使われます。⑧when 節、不定詞の副詞的用法（感情の原因）、that 節のトリプル。⑨when 節と比較の組み合わせです。主節では will（意思未来）を使います。⑩when 節と不定詞の名詞的用法のコンビネーション

19 Part1 中学１・２年

文型コンビネーショントレーニング

DISC❷TRACK29

❶ 僕は、彼と話さずに、この計画を実行することを決定するわけにはいかない。

❷ 私の父は、何かをするとき、間違いを犯すことを恐れてはいけないと言う。

❸ 彼は、その絵はもう一方のより価値があるのだと言った。

❹ 高校生の頃、彼女は、クラスの他のどの生徒よりも速く泳げた。

❺ その作家が初めて日本を訪れたとき、ほとんどの家は木造だった。

❻ 彼の絵がみんなに笑われたとき、彼は悲しくなった（悲しく感じた）。

❼ その知らせはみんなを驚かすだろうと、僕は思うよ。（受身を使わずに）

❽ 彼の誕生パーティーに招かれて、彼女はとても嬉しかった。

❾ 毎日走ることは、君が思っているほど大変じゃないよ。（動名詞主語）

❿ 彼はお医者さんに、数日間寝ていなければならないと言われた。

使用語句：①実行する carry out　②間違いを犯す make a mistake
③価値がある valuable　⑩寝ている stay in bed

ワンポイントアドバイス ①不定詞の名詞的用法と動名詞のコンビネーション　②that 節で must と動名詞を使います。③that 節と比較の組み合わせ　④when 節と比較のコンビネーション　⑤when 節と受身の組み合わせ

❶ I can't decide to carry out this plan without talking to him.

❷ My father says that you must not be afraid of making a mistake when you do something.

❸ He said that the picture was more valuable than the other one.

❹ When she was a high school student, she could [was able to] swim faster than any other student in the class.

❺ When the writer visited Japan for the first time, most houses were made of wood.

❻ When his picture was laughed at by everyone, he felt sad.

❼ I think that the news will surprise everybody [everyone].

❽ She was very happy to be invited to his birthday party.

❾ Running everyday is not as hard as you think.

❿ He was told by his doctor that he had to stay in bed for a few days.

⑥ when 節と一般動詞の SVC ⑦that 節は、surprise を他動詞として使い能動態です。 ⑧不定詞の副詞的用法（感情の原因）と受身のミックス ⑨動名詞主語と as〜as ⑩受身、that 節、have to のトリプル

20 Part1 中学1・2年
文型コンビネーショントレーニング
DISC❷TRACK30

❶ 彼らがその知らせをあなたに告げたとき、あなたはなぜ驚いたのですか？

❷ そんなに多くの素晴らしい物語を書けるなんて、彼女はなんて優れた作家なんだろう！

❸ 木の葉が黄色く染まる頃（時）、彼女は少し寂しくなる。

❹ 僕らはできるだけ間違いを犯さないように（可能な限り少ない間違いを犯すように）努めた。

❺ この科目を勉強することは、あなたにとって、とても役立つでしょう。

❻ 多くの人がその老人は気難しい（喜ばすのが難しい）と思っている。

❼ この方法は今までに試されたことがありますか？

❽ 彼女が肉より魚の方がずっと好きだということを、あなたは知っていますか？

❾ そこに10分で着くなんて、あなたはなんて歩くのが速いのでしょう。（名詞walkerを使って）

❿ 時計が12時を打ったとき、不思議なもの（不思議な何か）が、彼の部屋に現れた。

使用語句：⑥喜ばす please　⑦試す try　⑩～（時）を打つ strike

ワンポイントアドバイス ①when節と受身のコンビネーション　②感嘆文と不定詞の副詞的用法のコンビネーション　③when節と一般動詞のSVC　④不定詞の名詞的用法あるいは動名詞と、as～as one can（できるだけ～）のミックス　⑤不定詞の主語、または動名詞主語とwill（単純未来）のミックス

❶ Why were you surprised when they told you the news?

❷ What a good writer she is to be able to write so many wonderful stories!

❸ When the leaves turn yellow, she feels a little sad.

❹ We tried to make as few mistakes as we could ［possible］.

❺ To study this subject will be very useful for you. / Studying this subject will be very useful for you.

❻ Many people think that the old man is difficult（hard）to please.

❼ Has this method ever been tried?

❽ Do you know that she likes fish much better than meat?

❾ What a fast walker you are to get there in ten minutes!

❿ When the clock struck twelve, something strange appeared in his room.

⑥ that 節で不定詞を用います　⑦現在完了と受身のミックス　⑧that 節は比較の文　⑨感嘆文と不定詞の副詞的用法のコンビネーション　⑩when 節と形容詞を伴う something

01 Part2 中学1・2・3年＋α

文型コンビネーショントレーニング

DISC❷TRACK31

❶ その作家が書いた小説は世界中の人に読まれている。

❷ その父親は、息子に、毎日勉強することが大切だということを悟らせようした。

❸ アメリカで生まれ育ったその少年は英語を上手に話す。

❹ 彼が使っているペンはあなたのですか？ —はい、そうです。

❺ 読むものを何か買うために私は書店に入った。

❻ 僕が昨日君に会ったとき君が運転していた車は、君のなのかい、それとも君のお父さんのなの？ —おやじのだよ。

❼ 彼が帰ってきたら（帰ってきたとき）、君はその答えを知ることができるだろう。

❽ 君は彼がいつ帰ってくるか知ってるかい？
—3時頃に帰ってくると思うよ。

❾ 昨日行った公園に行こうよ。 —うん、行こう。

❿ 彼は誰かに、その箱をどうやって開けるのか、教えて欲しかった。

使用語句：②悟る realize

ワンポイントアドバイス ①関係代名詞主部を持つ文で、態は受身です。②不定詞の名詞的用法、使役の原形不定詞、that 節のトリプルコンビネーションです。 ③関係代名詞節が主部にくる文です。 ④関係代名詞主部で、現在進行形を使用。全体は疑問文。 ⑤「買うために」の副詞的用法と「読むもの＝読むための何か」の形容詞的用法で、不定詞のダブル。 ⑥「僕が昨日君に会ったとき、君が運転していた」というフレーズが、「車＝the car」を長々と修飾します。⑦when 節と be able to のコンビネーション。時を表す副詞節では未来のことで

❶ The novel (which / that) the writer wrote is read by people all over the world.

❷ The father tried to make his son realize that it was important to study everyday.

❸ The boy who [that] was born and brought up in America speaks English well.

❹ Is the pen (which/that) he is using yours? —Yes, it is.

❺ I went into the bookstore to buy something to read.

❻ Is the car (which/that) you were driving when I saw you yesterday yours or your father's? —It's my father's.

❼ You will be able to know the answer when he comes back.

❽ Do you know when he will come back [will be back] ?
—I think (that) he will come back [will be back] at about three o'clock.

❾ Let's go to the park where we went yesterday. —Yes, let's.

❿ He wanted somebody [someone] to tell him how to open the box.

も、現在形を使うので、「帰ってきたら」はwill come backではなく、comes back。また、日本語文の「帰ってきたら」に引きずられて、過去形にするミスも多いので注意してください。⑧質問文は、間接疑問文。「彼がいつ帰ってくるか」は名詞節なので、未来形を用います。返答は、that節を使った文。⑨let's～と関係副詞のコンビネーション。⑩SVO＋to不定詞と疑問詞＋to不定詞の組み合わせです。

02

Part2 中学１・２・３年＋α
文型コンビネーショントレーニング

DISC❷TRACK32

❶ 彼女は香りの良いその石鹸を買いたかった。

❷ 毎日この公園に来るその少年は、なぜ今日は来なかったのだろうか？

❸ 彼女は今日まだ何も食べていないと、僕は思うよ。

❹ 彼が先週買った車は僕のよりずっと速い。

❺ 彼にまだ終えていない宿題をやるように言ってください。

❻ その手紙が届いたら（届くとき）、彼に読ませてもいいですか？
—いいですよ。

❼ あなたのお父さんが学生時代に１番好きだった科目はなんですか？
—数学です。

❽ 私は、この町で働き始めた郵便配達は、道に迷ってしまったのだと思います。

❾ 彼女はみんなに自分を好きになって欲しかったのだと、私は思います。

❿ お母さんの作ったクッキーはとてもおいしかった。（動詞 taste を使用）

使用語句：⑧郵便配達（人）mailman（postman）　⑩クッキー cookie

ワンポイントアドバイス　①不定詞の名詞的用法と一般動詞の SVC のコンビネーション。②疑問詞 why の疑問文の主部に関係代名詞を用います。③that 節と現在完了のコンビネーション。④関係代名詞と比較の組み合わせ　⑤SVO＋to 不定詞と関係代名詞目的格のコンビネーション　⑥when 節と使役動

❶ She wanted to buy the soap which ［that］ smelt good.

❷ Why didn't the boy who ［that］ comes to this park every day come today?

❸ I think（that）she hasn't eaten anything yet today.

❹ The car（which/that）he bought last week is much faster than mine.

❺ Please tell him to do the homework（which/that）he has not done yet.

❻ Can ［May］ I let him read the letter when it arrives?
—Yes, you can ［may］.

❼ What is the subject（which/that）your father liked（the）best when he was a student? —It is mathematics.

❽ I think that the mailman who ［that］ just began to work in this town got lost.

❾ I think that she wanted everyone to like her.

❿ The cookies (which/that) my mother baked ［made］ tasted very good.

詞 let の原形不定詞　⑦疑問詞 what の疑問文に関係代名詞目的格を使用。関係代名詞節の中でさらに最上級を用います。⑧that 節で、関係代名詞を使います。時制の一致にも注意。⑨that 節と SVO＋to 不定詞　⑩関係代名詞節が主語を修飾し、文全体は一般動詞の SVC です。

03

Part2 中学１・２・３年＋α
文型コンビネーショントレーニング

DISC❷TRACK33

❶ 彼女はどこでそれを買ったらいいか教えてくれるようあなたに頼みましたか？

❷ 次回彼女に会ったら（会うとき）、うちに遊びに来るように言ってくれるかい？

❸ 彼は、今度いつ彼女に会うかわからないという。

❹ 彼のお父さんが発明したその機械は多くの国で使われるだろう。

❺ 早寝早起きなので彼女は健康だ。（動名詞主語を使うこと）

❻ 私たちが昨日あそこで会った男の人は誰のお父さんなのですか？

❼ 僕は弟が外出するときに何か面白い読み物（読むための面白いなにか）を買ってくるように（僕のために買うように）頼んだ。

❽ 君が見た犬は、僕が子供の頃から我が家にいます。

❾ この本は、僕が読むのには難しすぎるので、もう少し簡単なのを貸してくれますか？

❿ 彼はその日いつもよりずっと早く起きた。

使用語句：⑤早寝早起きする keep early hours

ワンポイントアドバイス ①やや複雑な文です。「どこで買ったか」を訊ねているのではなく、「どこで買ったらよいのか」教えてくれるよう頼んでいます。SVO＋to 不定詞と疑問詞＋to 不定詞のコンビネーション。 ②when 節での時制の扱いに注意。主節では SVO＋to 不定詞を使います。 ③that 節で間接疑問文を使います。 ④関係代名詞主部と受身のコンビネーション。will の後の be 動詞を落とさないように。 ⑤学習者の苦手な動名詞主語の文。「早寝早起きする」

❶ Did she ask you to tell her where to buy it?

❷ Will you please tell her to come (to) see me [come and see me] when you see her next time?

❸ He says (that) he doesn't know when he will see her next time.

❹ The machine (which/that) his father invented will be used in many countries.

❺ Keeping early hours keeps her healthy.

❻ Whose father is the man (whom/that) we met there yesterday?

❼ I asked my brother to buy something interesting to read for me when he went out.

❽ The dog (which/that) you saw has been at my home since I was a child.

❾ Will you please lend me a book that is a little easier because this one is too difficult for me to read?

❿ He got up much earlier that day than usual.

は keep early hours です。文全体は一般動詞の SVOC です。 ⑥疑問詞 whose の文の主語が関係代名詞の目的格で修飾されています。 ⑦when 節、SVO＋不定詞、形容的用法のトリプルです。 ⑧関係代名詞主部の文です。時制は現在完了。⑨主節は依頼の will 疑問文。従属節で too～to のパターンが使われます。 ⑩一般動詞の過去形の文に比較を用います。

04

Part2 中学１・２・３年＋α
文型コンビネーショントレーニング

DISC❷TRACK34

❶ 父は僕にその有名な小説家が書いた本を読むように言った。

❷ 君が僕に君と一緒にいて欲しいなら、僕は喜んでそうするよ。

❸ 息子が７歳になったら（なるとき）、私は彼に英語を勉強させます。

❹ 先生は生徒たちに多くの科目を勉強することがなぜ大切なのか説明しようとした。

❺ 彼にその言葉の意味を理解させるのはとても難しかった。

❻ 彼は僕に何をして欲しかったんだろう。（wonder を使って）

❼ 図書館であった女の子はなんてかわいかったんだろう！

❽ その母親はどうやって息子に勉強させるべきかわからないという。

❾ お父さんが教授であるその少年は他の生徒たちよりずっと頭がいいですか？

❿ 庭で待っている犬に何か食べさせてやりなさい。

使用語句：①小説家 novelist　②喜んで～する be happy to～
⑤意味 meaning　⑨教授 professor

ワンポイントアドバイス ①SVO＋to 不定詞と関係代名詞目的格のコンビネーション。②If を使う従属節、SVO＋to 不定詞、不定詞の副詞的用法（感情の原因）のトリプル。「私と一緒にいたいなら」ではなく、「私に君と一緒にいて欲しいなら」という点に注意。③when 節（時制の扱いに注意）と使役動詞 make に導かれる原形不定詞の組み合わせです。④不定詞の名詞的用法、間接疑問文、形式主語 it のトリプル。⑤形式主語 it＋使役動詞 make に導かれる原形不定詞

❶ My father told me to read a book (which/that) the famous novelist wrote.

❷ If you want me to be with you, I will be happy to do so.

❸ When my son is [becomes] seven years old, I will make him study English.

❹ The teacher tried to explain to his students why it is important to study many subjects.

❺ It was very difficult to make him understand the meaning of the word.

❻ I wonder what he wanted me to do.

❼ How pretty the girl (whom/that) I met at the library was!

❽ The mother says (that) she doesn't know how to make her son study [how she should make her son study].

❾ Is the boy whose father is a professor much smarter than the other students?

❿ Let the dog which [that] is waiting in the garden eat something. / Let the dog waiting in the garden eat something.

のコンビネーション。「彼が理解する」ではなく、「彼に理解させる」です。⑥wonder に導かれる間接疑問文と SVO＋to 不定詞のコンビネーション。⑦感嘆文と関係代名詞目的格の組み合わせ。⑧that 節、疑問詞＋to 不定詞、使役の原形不定詞のトリプル。⑨関係代名詞所有格＋比較。⑩「庭で待っている犬」は現在分詞も関係代名詞も使えます。let に導かれる原形不定詞を使用。

05 Part2 中学1・2・3年＋α

文型コンビネーショントレーニング

DISC❷TRACK35

❶ あなたはりんごをいくつ食べたいですか？
—2つ食べたいです。

❷ 僕の留守中に、誰がここに来ましたか？

❸ 私の息子が昨日買った本は彼には難しすぎる。

❹ 私があなたに先週貸した本をもう読みましたか？
—いえ、まだです。

❺ 私は（今に至るまで）ずっとその作家が生まれた国を訪れたいと思っています。

❻ 太陽は月よりずっと明るく輝くことを、知らない人がいるのですか？

❼ 子供たちに毎日算数を勉強させることが必要です。

❽ あなたは彼にいつあなたを訪問して欲しいのですか？
—明後日来て欲しいです。

❾ 明日晴れたら俺は釣りに行くぞ。

❿ 彼が着るには大きすぎるそのシャツはお兄さんには小さすぎる。

使用語句：②留守である be away［out］　⑦算数 arithmetic

ワンポイントアドバイス　①how many～の疑問文＋不定詞の名詞的用法。②疑問詞主語＋while の従属節の文。③関係代名詞（目的格）と too～（～過ぎる）を使います。④現在完了と関係代名詞（目的格）の組み合わせ。⑤現在完了（継続）、不定詞の名詞的用法、関係副詞のトリプル。⑥there is（are）の疑

❶ How many apples do you want to eat?
—I want to eat two.

❷ Who came here while I was away ［out］?

❸ The book (which/that) my son bought yesterday is too difficult for him.

❹ Have you read the book (which/that) I lent (to) you last week yet? —No, I haven't.

❺ I have always wanted to visit the country where the writer was born.

❻ Are there people who ［that］ don't know the sun shines much more brightly than the moon?

❼ It is necessary to make children study arithmetic every day.

❽ When do you want him to visit you?
—I want him to come the day after tomorrow.

❾ If it is fine tomorrow, I will go fishing.

❿ The shirt which ［that］ is too big for him to wear is too small for his brother.

問文に、関係代名詞、that 節が織り込まれています。⑦形式主語 it と使役の原形不定詞のコンビネーション　⑧疑問詞 when と SVO＋to 不定詞。⑨主節には意思未来の will、if の従属節では時制に注意。⑩関係代名詞主部と too〜to 文型のコンビネーション。

06 Part2 中学１・２・３年＋α

文型コンビネーショントレーニング

DISC❷TRACK36

❶ 彼の生まれた町にはきれいな川があった。

❷ 明日雨だったら、ピクニックは中止です。

❸ 彼女の母親は動物があまり好きではないが、自分は犬か猫が欲しいと、その少女は言った。

❹ 彼のお母さんは彼に寝る前に歯を磨くように言った。

❺ 夕食を食べたら何をしようか？
―映画を観に行こう。

❻ 彼の両親は彼が試験に受かるために一生懸命勉強していると信じている。

❼ お腹がすいていたので、彼は妻に昼食を作るように頼んだ。

❽ 日本語しか話せない人は外国では苦労すると、私は思いますよ。

❾ 彼は駅への行き方を知っていると思いますか？
―はい、知っていると思います。

❿ 釣りの好きなその少年は、自分は毎日海に行くのだと私に言った。

使用語句：②中止する call off　④歯を磨く brush one's teeth　⑧苦労する have trouble

ワンポイントアドバイス ①中１レベルの there is～の文型に、関係副詞がミックスされています。②if の条件節と、受身のコンビネーション。③従属節を導く接続詞（although）と、that 節の組み合わせ　④接続詞 before を使う従属節と、SVO＋to 不定詞。⑤勧誘の shall と、接続詞 after が導く従属節。⑥that

❶ There was a beautiful river in the town where he was born.

❷ If it rains [it is rainy] tomorrow, the picnic will be called off.

❸ The girl said that although [though] her mother didn't like animals very much, she wanted a dog or a cat.

❹ His mother told him to brush his teeth before he went to bed.

❺ What shall we do after we have dinner?
—Let's go to see a movie.

❻ His parents believe (that) he is studying hard to pass the exam.

❼ As he was hungry, he asked his wife to make lunch.

❽ I think that people who can speak only Japanese have trouble abroad.

❾ Do you think (that) he knows how to get to the station?
—Yes, I think he does.

❿ The boy who [that] liked fishing told me that he went to the sea every day.

節の中で不定詞の副詞的用法（目的）が使われます。⑦理由を表すasの従属節と、SVO+to不定詞の組み合わせです。⑧that節と関係代名詞（主格）のミックス　⑨that節の中で疑問詞+to不定詞を使います。⑩関係代名詞とthat節のコンビネーション。

07 Part2 中学1・2・3年＋α
文型コンビネーショントレーニング

DISC❷TRACK37

❶ 僕が学生時代もっとも一生懸命勉強した科目は数学です。

❷ 子供たちに作られた雪だるま（単数）は溶けてしまいました。

❸ この手紙をあなたに書いた人は、どのくらいヨーロッパにいるのですか（今まで）？

❹ 部屋の中には彼女の知らない人がたくさんいたので、彼女は黙っていました（沈黙の状態を保ちました）。

❺ その男の子が道で見つけた子猫は、彼について来始めた。

❻ 僕がきのう会った男の人は彼よりずっと背が高かった。

❼ 私たちが作ったケーキを彼に食べさせてあげましょう。

❽ その知らせを聞いたとき彼女は一晩中泣きつづけました。

❾ お父さんが高校で数学を教えているその少年は、僕よりずっと頭がいい。

❿ 字が書けないその老人は孫（男）に自分の名前を書かせた。

使用語句：②雪だるま snowman　⑤子猫 kitten　ついていく follow

ワンポイントアドバイス ①関係代名詞節の中で最上級を使います。②関係代名詞＋受身＋現在完了のトリプル。③関係代名詞と現在完了のコンビネーション　④理由を表す as に導かれる従属節の中で関係代名詞の目的格を使い、主節は一般動詞の SVC になっています。⑤関係代名詞主部と不定詞の名詞

❶ The subject (which/that) I studied (the) hardest when I was a student was mathematics.

❷ The snowman which [that] was made by the children has melted away.

❸ How long has the person who [that] wrote this letter to you been in Europe?

❹ As there were many people (whom/that) she didn't know in the room, she kept silent.

❺ The kitten (which/that) the boy found on the street began to follow him.

❻ The man (whom/that) I met yesterday was much taller than him [he is].

❼ Let's let him eat the cake (which / that) we made.

❽ When she heard the news, she kept crying all night long.

❾ The boy whose father teaches mathematics at high school is much smarter than me [I].

❿ The old man who couldn't write made his grandson write his name.

的用法（あるいは動名詞）の組み合わせです。⑥関係代名詞の目的格と比較のコンビネーション。⑦関係代名詞と使役の原形不定詞のミックス　⑧when 節と分詞の組み合わせ。⑨関係代名詞と比較のコンビネーション　⑩関係代名詞主部と使役の原形不定詞の組み合わせです。

08 Part2 中学1・2・3年＋α

文型コンビネーショントレーニング

DISC❷TRACK38

❶ あなたは、彼がなぜ多くの人に尊敬されているのか、わからないのですね？

❷ 僕はこれより恐ろしい小説を読んだことがない。

❸ 数年間一生懸命勉強しているその少女はその試験に受かるだろう。

❹ どちらの本も面白そうなので、彼はどっちを買ったらよいかわからない。

❺ もし君が彼に会いたいなら、僕が明日来るように彼に頼んであげるよ。

❻ 君は彼が英語を話すのを聞いたことがあるかい？

❼ 彼女は、テーブルの上のその辞書が、誰のものか知らないと言った。

❽ あなたがそのレストランで見た男の人は、ハンバーガーをいくつ食べたのですか？

❾ 彼はお母さんに友人たちと映画に行かせてくれるように頼んだ。

❿ 私たちに英語を教えてくれる外国人は日本に2年住んでいる。

使用語句：①尊敬する respect　②恐ろしい scary　⑧ハンバーガー hamburger

ワンポイントアドバイス　①間接疑問文と付加疑問文の組み合わせ　②現在完了と比較のコンビネーション。③関係代名詞と現在完了進行形のコンビネーション。④従属節と疑問詞＋to不定詞の組み合わせ　⑤ifの条件節と、意思未来will、SVO＋to不定詞のトリプル。⑥現在完了の疑問文で、知覚動詞の原形

❶ You don't understand why he is respected by many people, do you?

❷ I have never read a novel（which is）scarier than this one.

❸ The girl who has been studying hard for a few years will pass the exam.

❹ As both books look interesting, he doesn't know which（one）to buy.

❺ If you want to meet him, I will ask him to come tomorrow.

❻ Have you ever heard him speak English?

❼ She said（that）she didn't know whose the dictionary on the table was.

❽ How many hamburgers did the man (whom/that) you saw at the restaurant eat?

❾ He asked his mother to let him go to the movies with his friends.

❿ The foreigner who［that］teaches us English has lived in Japan for two years.

不定詞を使います。 ⑦that 節と間接疑問文のコンビネーション ⑧how many～疑問文の主部が関係代名詞の目的格です ⑨SVO＋不定詞と使役動詞 let に導かれる原形不定詞のコンビネーション。 ⑩関係代名詞主部と現在完了の組み合わせです。

09 Part2 中学1・2・3年+α

文型コンビネーショントレーニング

DISC❷TRACK39

❶ 彼女は夫に自分が髪を切ったことを気づいて欲しかった。

❷ 私は、彼がどこでその本を見つけたのか訊きたかった。

❸ もしお前がもっと一生懸命勉強するなら、欲しいものを何でも買ってやろう。

❹ 日本語を学ぶためにアフリカから来たその学生は、私が彼に初めて会ったときからずっとこの学校で勉強している。

❺ 先月建てられたそのビルは、10年前ここにあったビルよりずっと高い。

❻ おろかな間違いをしたその少年はみんなに笑われましたか？
—はい、笑われました。

❼ テーブルの上にあるビデオは君が昨日借りたやつだよね？
—うん、そうだよ。

❽ 彼女は自分が作ったケーキをトムに食べて欲しかったが、ジョンに食べられてしまった。

❾ 彼はお気に入りのチームが試合に負けたのを知ってがっかりした。

❿ 彼女は息子が転ぶのを見て叫んだ。

使用語句：①髪を切る have [get] a hair cut　気づく notice　⑥おろかな silly　⑦ビデオ video　借りる rent　⑨がっかりさせる disappoint　⑩転ぶ fall

ワンポイントアドバイス　①SVO+to不定詞、that節、過去完了のトリプル。　②不定詞の名詞的用法と間接疑問文　③if節と関係代名詞のコンビネーション　④関係代名詞主部の文で、時制は現在完了です。　⑤関係代名詞が2回使われ、全体が比較の文です。　⑥受身の疑問文で、関係代名詞主部です。　⑦「君が

❶ She wanted her husband to notice (that) she had had [got] a hair cut.

❷ I wanted to ask him where he had found the book.

❸ If you study harder, I will buy anything (which / that) you want.

❹ The student who came from Africa to study Japanese has been studying at this school since I first met him.

❺ The building which [that] was built last month is much higher [taller] than the one which [that] was here ten years ago.

❻ Was the boy who [that] made a silly mistake laughed at by everyone? —Yes, he was.

❼ The video on the table is the one (which/that) you rented yesterday, isn't it? —Yes, it is.

❽ Although she wanted Tom to eat the cake (which/that) she made, it was eaten by John.

❾ He was disappointed to know (that) his favorite team (had) lost the game.

❿ She screamed when she saw her son fall.

借りたやつ（ビデオ）」は関係代名詞のフレーズです。主部の処理に注意。⑧逆接の接続詞 although に導かれる従属節の中で関係代名詞と SVO＋不定詞が使われ、主節は受身の文です。⑨不定詞の副詞的用法（感情の原因）＋that 節＋過去完了のトリプル。⑩when 節と知覚の原形不定詞のコンビネーション。

10 Part2 中学１・２・３年＋α
文型コンビネーショントレーニング
DISC❷TRACK40

❶ 誰が私の作ったケーキを食べたのですか？　―ジョンです。

❷ 私はあなたにすぐに宿題をするように言いましたね？
―はい、そうです。

❸ 外はとても寒いので犬を中に入らせてやりなさい。

❹ 音楽が全てのうちで1番好きなその女の子は、長じて歌手になった。

❺ 彼女は自分で作った夕食を恋人に食べて欲しかった。

❻ 彼は妻に、息子をその少年たちと遊ばせるなと言った。

❼ 日本に長く住んでいるその外国人は味噌汁の作り方を知っている。

❽ 魚より肉の方がずっと好きなその男性は、家族の中で1番太っている。

❾ 私は彼女にピアノを弾いて欲しかったが、彼女は疲れすぎていて弾けないと言った。

❿ 暖かい国で育ったその子供たちは雪を見て驚くだろうか？

使用語句：⑦味噌汁 miso soup

ワンポイントアドバイス　①疑問詞 who が主語の文で、目的語が関係代名詞節で修飾されます。 ②SVO＋to 不定詞と、付加疑問文。 ③理由を表す従属節と、使役動詞 let に導かれる原形不定詞のコンビネーション。 ④関係代名詞＋最上級＋when 節のトリプルです。 ⑤SVO＋to 不定詞の O が関係代名詞節で修飾されている文です。 ⑥SVO＋to 不定詞と使役動詞 let に呼応する原形不定詞の

❶ Who ate the cake (which/that) I made? —John did.

❷ I told you to do your homework at once, didn't I?
—Yes, you did.

❸ As it is very cold outside, let the dog come in.

❹ The girl who [that] liked music best of all became a singer when she grew up.

❺ She wanted her boyfriend to eat the dinner (which/that) she cooked.

❻ He told his wife not to let their son play with the boys.

❼ The foreigner who has lived in Japan for a long time knows how to make miso soup.

❽ The man who likes meat much better than fish is the fattest in his family.

❾ Although I wanted her to play the piano, she said (that) she was too tired to play (it).

❿ Will the children who grew up in a warm country be surprised to see snow?

ミックス。 ⑦現在完了形を含む関係代名詞主部の文で疑問詞＋to 不定詞を使います。 ⑧関係代名詞主部と最上級のコンビネーション。 ⑨逆接の接続詞 although に導かれる従属節の中で、SVO＋to 不定詞が使われ、主節では too～to 文型が使われます。 ⑩関係代名詞主部と不定詞の副詞的用法（感情の原因）を含む文ですが、全体が未来の疑問文です。

11

Part2 中学１・２・３年＋α
文型コンビネーショントレーニング

DISC❷TRACK41

❶ ３人の中で、あなたが１番頭がいいと思う（findを使用）生徒に、この本を読ませてやりなさい。

❷ 生まれたときからその村に住んでいるその少女は、いつか誰も彼女のことを知らない町に行きたいと思っている。

❸ その名がみんなに知られている作家が演説をするために来月この町にくる。

❹ 私はあなたに先月開店したレストランに私と一緒に行って欲しい。

❺ あなたはあなたより上手に日本語を話す外国人に会ったことがありますか？

❻ 彼のお母さんはとても背が高いが、来年には彼の方が彼女よりずっと背が高くなっているだろう。

❼ トムが今勉強している言語はあまり多くの人に話されていない。

❽ 毎年外国に行くその少年は外国人に会っても緊張しない。

❾ 彼はその朝忙しすぎて新聞を読むことができず、学校で友人たちが話しているニュースがわからなかった。

❿ もし、あなたが英語を覚えたいのなら努力をすることが必要だと悟らなければならない。

使用語句：⑧緊張している nervous　⑩努力をする make an effort　悟る realize

ワンポイントアドバイス　①底にあるのは中１レベルの命令文ですが、関係代名詞の目的格、使役動詞 let に導かれる原形不定詞が差し込まれています。②現在完了が含まれる関係代名詞主部、不定詞の名詞的用法、関係副詞を使った文。③受動態を含む関係代名詞主部と不定詞の副詞的用法（目的）がミックスされた文。④関係代名詞と SVO＋to 不定詞のコンビネーション。⑤現在完了

❶ Let the student (whom/that) you find the smartest of the three read this book.

❷ The girl who [that] has lived in the village since she was born wants to go to a town some day where no one (nobody) knows her.

❸ The writer whose name is known to everyone will come to this town next month to make a speech.

❹ I want you to go to the restaurant which [that] opened last month with me.

❺ Have you ever met a foreigner who [that] speaks Japanese better than you?

❻ Although his mother is very tall, he will be much taller than her [she is] next year.

❼ The language which [that] Tom is studying now is not spoken by very many people.

❽ The boy who [that] goes abroad every year doesn't become nervous when he meets foreigners.

❾ As he was too busy to read the newspaper that morning, he didn't know the news (which/that) his friends were talking about at school.

❿ If you want to learn English, you have to realize (that) it is necessary to make an effort.

(経験) の疑問文の目的語が、比較を含む関係代名詞節に修飾された文。 ⑥譲歩接続詞 although が導く従属節と、比較を含む主節から成り立つ文です。 ⑦関係代名詞主部の文。受身の否定文です。 ⑧関係代名詞主部と、when 節のコンビネーション。 ⑨理由を表す従属節と関係代名詞節のコンビネーション。 ⑩条件を表す従属節。主節は that 節を含みます。

12

Part2　中学１・２・３年＋α
文型コンビネーショントレーニング

DISC❷TRACK42

❶ 私は英語を勉強したい学生にこの辞書を使って欲しい。

❷ もし君が他のどの男の子よりも速く走ったら、このメダルを君にあげよう。

❸ 僕の弟はすべてのスポーツのうちでサッカーが１番好きなので、サッカークラブに入りたがっている。

❹ 彼が帰ってきたら、このパンを食べさせてやりなさい。

❺ あなたはレンガでできた家に住んだことがありますか？
—いいえ、ありません。

❻ 彼はアメリカで生まれたと言っているが、僕より英語が下手だ。

❼ ここから屋根が見えるあの家は100年前に建てられた。

❽ 彼は小さなときからピアノを弾いているので、ピアノを置けない（持てない）家には住みたくないと言っている。

❾ 僕は彼に壁を塗って欲しかったのだが、彼は弟にそれをやらせた。

❿ 誰かが通りで叫ぶのを聞いて（聞いたとき）、彼女は窓から外を見た。

使用語句：②メダル medal　③サッカークラブ soccer club　⑤レンガ brick

ワンポイントアドバイス　①SVO＋to不定詞の文ですが、Oが不定詞の名詞的用法を含む関係代名詞で修飾されます。②条件節の中で比較が用いられ、主節はSVO、SVOO（二重目的語）のどちらでもOKです。③従属節の中で最上級、主節では不定詞の名詞的用法を用います。④if節と使役動詞letに呼応する原形不定詞のコンビネーション。⑤現在完了（経験）の疑問文。目的語が関係代名詞節、あるいは過去分詞で修飾されます。⑥従属節はthat節を含みます。

❶ I want students who want to study English to use this dictionary.

❷ If you run faster than any other boy, I will give you this medal.

❸ As my brother likes soccer (the) best of all sports, he wants to join the soccer club.

❹ If he comes back, let him eat this bread.

❺ Have you ever lived in a house which [that] is made of brick? / Have you ever lived in a house made of brick?
—No, I haven't.

❻ Although he says (that) he was born in America, his English is worse than mine.

❼ The house the roof of which we can see from here was built one hundred years ago.

❽ As he has been playing the piano since he was a child, he says (that) he doesn't want to live in a house where he can't have a piano.

❾ Although I wanted him to paint the walls, he made his brother do it.

❿ When she heard somebody [someone] scream in the street, she looked out of the window.

主節では比較を使用。 ⑦前置詞を伴う関係代名詞が主部。全体は受身の文です。 ⑧理由を表す従属節の時制は現在完了形。主節は that 節、不定詞の名詞的用法、関係副詞のトリプル。 ⑨逆接の従属節で SVO＋to 不定詞を用います。主節では使役動詞 make に導かれる原形不定詞使用。 ⑩when 節で知覚の原形不定詞を使います。

13

Part2 中学1・2・3年＋α
文型コンビネーショントレーニング

DISC❷TRACK43

❶ 僕は君にトムがなぜ機嫌がいいのか教えて欲しい。

❷ いつも用心深いその先生は生徒たちに傘を持ってこさせた。

❸ 彼は怒っているように見えたが、本当は君に感謝していたんだよ。

❹ 彼に5年前に修理されたその車はそれ以来1度も故障していない。

❺ 他の生徒たちがどのようにその問題を解いたのかわからなかったその少年は、母親に助けて欲しかった。

❻ 彼が着ている服は、彼には大き過ぎると思いませんか？
—そう、思います。

❼ 窓が大きいその部屋は彼女のお兄さんに使用されているのですか？
（付帯の with を使って）

❽ 交通事故で怪我をしたその少女は3ヵ月間学校に行けなかったので、お母さんが彼女のために買ってくれた多くの本を読んだ。

❾ 今朝彼に会ったとき、彼は川に泳ぎに行くところだ、と言いました。

❿ 彼のお母さんは彼に部屋をきちんとしておきなさいといつも言うが、掃除が好きではない。

使用語句：①機嫌がいい in a good mood［humor］　③感謝している grateful
④故障する break down　⑧傷つける injure　⑩きちんとしている tidy

ワンポイントアドバイス　①SVO＋to 不定詞と間接疑問文のコンビネーション。②関係代名詞主部と使役動詞 make に導かれる原形不定詞の組み合わせ。③逆接の従属節で、一般動詞の SVC が使われます。④現在完了の文の主部は関係代名詞節に修飾されます。⑤関係代名詞主部は間接疑問文を含み、主節では SVO＋to 不定詞が使われます。⑥関係代名詞主部と too（～すぎる）を

❶ I want you to tell me why Tom is in a good mood [humor].

❷ The teacher who was always careful made his students bring their umbrellas.

❸ Although he looked angry, he was actually grateful to you.

❹ The car which [that] was repaired by him five years ago has never broken down since then.

❺ The boy who [that] did not know how the other students solved the question wanted his mother to help him.

❻ Don't you think that the clothes (which / that) he is wearing are too big for him? —I think so.

❼ Is the room with the big window used by her brother?

❽ As the girl who [that] was injured in the car accident could not go to school for three months, she read many books (which/that) her mother bought for her.

❾ When I saw him this morning, he said that he was going to the river to swim.

❿ Although his mother always tells him to keep his room tidy, she doesn't like cleaning.

含んでいます。 ⑦受身と付帯の with のコンビネーション ⑧関係代名詞主部の中の「怪我をした」は受身処理、主節では関係代名詞の目的格を使用。 ⑨when 節と、that をもつ主節。that 節は過去進行形です。 ⑩逆接の従属節は SVO＋to 不定詞を含みます。

14 Part2 中学1・2・3年＋α

文型コンビネーショントレーニング

DISC❷TRACK44

❶ 私はあなたに小鳥の世話の仕方を教えて欲しい。

❷ 朝食前に散歩するので彼は健康なのかしら？
(keep を使用、彼を主語にしない)

❸ 彼女は彼らがそのスープは熱すぎて飲めないと言うのを聞いた。

❹ 彼女は弟がその少年と店から出てくるのを見て驚いた。

❺ 私が昨夜見た流れ星を君に見せたかった。(使役の let を使用)

❻ 雨のため我々はピクニックに行くのを諦めなければならなかった。
(主語を the rain とし、使役動詞 make を使用)

❼ ピーターは先週外国からやってきたその少女と友達になりたがっている。

❽ 兄は、彼が僕に(＝僕のために)買った本を返すように僕に言った。

❾ コートが皮製のその女性は、動物を殺すのは残酷だと言う。

❿ いつ彼に電話したらよいのか教えてくれるように彼女に頼みなさい。

使用語句：⑤流れ星 falling［shooting］star　⑨残酷な cruel　皮 leather

ワンポイントアドバイス　①SVO＋to 不定詞と疑問詞＋to 不定詞のコンビネーション。②I wonder～の間接疑問文。動名詞主語と SVOC を用います。③原形不定詞、that 節、too～to 不定詞のトリプル。④不定詞の副詞的用法と知覚の原形不定詞。⑤不定詞の名詞的用法、使役の原形不定詞、関係代名詞の目的格。そして、愛の告白。⑥the rain を主語にしてください。使役動詞 make を

❶ I want you to teach me how to take care of birds.

❷ I wonder if taking a walk before breakfast keeps him healthy.

❸ She heard them say (that) the soup was too hot to eat.

❹ She was surprised to see her brother come out of the store with the boy.

❺ I wanted to let you see the falling [shooting] star (which / that) I saw last night.

❻ The rain made us give up going on a picnic.

❼ Peter wants to make friends with the girl who [that] came from a foreign country last week.

❽ My brother told me to give back the book (which/that) he had bought (for) me.

❾ The woman whose coat is made of leather says that it is cruel to kill animals.

❿ Ask her to tell you when to call him.

使います。 ⑦関係代名詞と不定詞の名詞的用法のコンビネーション。 ⑧SVO+to 不定詞と関係代名詞（目的格）の組み合わせ。 ⑨関係代名詞（所有格）で始まる文が、形式主語 it を含む that 節を伴います。 ⑩骨格は命令文。SVO+to 不定詞と疑問詞+to 不定詞を使います。

15

Part2 中学１・２・３年＋α
文型コンビネーショントレーニング

DISC②TRACK45

❶ 来月アメリカを訪れる予定の学生たちは今懸命に英語を勉強している。

❷ 僕は、そこに行くことが必要だとは思わない。

❸ クラスで１番身長の高いその少年は体重も１番重い。

❹ 彼はその本は高すぎて買えないと言った。

❺ 彼が突然部屋に入ってきたとき、彼女はとても驚いたようすだった。

❻ その言語はとても美しく聞こえたので、彼はそれを覚えようと決心した。

❼ もし君が彼に英語を教えて欲しいなら、僕は彼に君に電話させるよ。

❽ お前が欲しがっている車は高すぎて私には買えない。

❾ 彼女はとても頭がいいので、君には解けない問題も解けるだろう。

❿ 彼は釣りの好きなその少年に、魚がたくさんいる川にどうやって行ったらよいか教えてやった。

使用語句：⑨解く solve

ワンポイントアドバイス ①関係代名詞主部の中で be going to が使われます。②that 節と形式主語文型のコンビネーション。③文全体と関係代名詞主部で、最上級を使います。④that 節の中で too〜to 文型を使用。⑤when 節と一般動詞の SVC のミックス。⑥理由を表す従属節で一般動詞の SVC を使います。主節では不定詞の名詞的用法を使用。⑦条件節の中で SVO＋to 不定詞。主節では原形不定詞を使います。⑧関係代名詞主部と too〜to 文型のコンビネー

❶ The students who are going to visit America next month are studying English hard now.

❷ I don't think (that) it is necessary to go there.

❸ The boy who is the tallest in the class is the heaviest, too.

❹ He said (that) the book was too expensive to buy.

❺ When he came into the room suddenly, she looked very surprised.

❻ As the language sounded very beautiful, he decided to learn it.

❼ If you want him to teach you English, I will make him call you.

❽ The car (which/that) you want is too expensive for me to buy.

❾ As she is very smart, she will be able to solve a question (that/which) you can't.

❿ He told the boy who liked fishing how to go to the river where there were many fish.

ション。 ⑨理由を表す従属節。主節では、be able to、関係代名詞（目的格）を使います。 ⑩関係代名詞（主格）、疑問詞＋to 不定詞、関係副詞のトリプル。

16 Part2 中学1・2・3年＋α

文型コンビネーショントレーニング

DISC❷TRACK46

❶ 彼女に撮られた写真はこの写真と同じくらい鮮明だ。

❷ 公園を歩いている（分詞で）若者たちは、私たちが先日会った学生たちですか？ ―はい、そうです。

❸ 彼に育てられる花々はこれら（の花）よりずっと美しい。

❹ 日本で3年勉強しているその外国人学生は、もうすぐ両親が住む国に帰る。

❺ 以前犬に噛まれたことがあるその子供は、犬を自分に近寄らせ（come near）ない。

❻ 彼は郵便局がどこにあるか訊くために道を歩いている女性に話しかけた。

❼ どこでその本を買ったのか教えてくれますか？

❽ もし僕が待っている手紙が来たら僕に電話してくれ。

❾ おじさんが弁護士のその少年は大学で法律を学ぶことを決めた。

❿ 君が僕に見せてくれた本は誰のなの？ ―兄貴のだよ。

使用語句：⑤噛む bite ⑥郵便局 post office ⑨弁護士 lawyer

ワンポイントアドバイス ①主部は関係代名詞か過去分詞を使用。原級比較 as～as の文。②現在分詞と関係代名詞のコンビネーション。③関係代名詞主部を持つ比較の文。関係代名詞節では受身を使ってください。④主部で、関係代名詞と現在完了のコンビネーション。最後にも関係詞節が表れます。⑤関係代名詞、現在完了、使役の原形不定詞のトリプル。⑥不定詞の副詞的用法

❶ The picture which［that］was taken by her is as clear as this one./ The picture taken by her is as clear as this one.

❷ Are the young people walking in the park the students（whom/that）we met the other day? —Yes, they are.

❸ The flowers which（that）are grown by him are much more beautiful than these.

❹ The foreign student who has been studying in Japan for three years will soon go back to the country where his parents live.

❺ The child who has been bitten by a dog before won't let dogs come near him.

❻ He spoke to a woman（who was）walking on the street to ask her where the post office was.

❼ Will you please tell me where you bought the book?

❽ Please call me if the letter（which/that）I am waiting for comes［arrives］.

❾ The boy whose uncle was a lawyer decided to study law at university.

❿ Whose is the book（which/ that）you showed（to）me? —It is my brother's.

(目的)、間接疑問文、分詞修飾（または関係代名詞）のトリプル。⑦依頼の will と間接疑問文のコンビネーション。⑧条件節で関係代名詞を使用。⑨関係代名詞（所有格）主部と不定詞の名詞的用法の組み合わせ。⑩疑問詞 whose の文の中で、関係代名詞の目的格を使います。

17

Part2 中学１・２・３年＋α
文型コンビネーショントレーニング

DISC❷TRACK47

❶ 外国に何度も行ったことのある友人が、どこで安い航空券を買ったらよいか教えてくれた。

❷ その子は、サンタクロースの正体が本当はお父さんだと知ったとき、泣き始めた。

❸ どちらが、彼女が住んでいる家ですか？
―あれです。

❹ 彼がかばんを置いたテーブルは樫でできている。

❺ 彼が子供の頃から住んでいる家は、私が今までに見た最も大きな家だ。

❻ 彼女は英語を覚えるためにアメリカに行ったけれど、彼女の英語は私の（英語）より下手だ。

❼ 僕にはなぜ君が自分は英語を勉強するには年をとりすぎていると考えるのか理解できない。

❽ 僕は彼女が、彼女が子供の頃から居間にあるピアノを弾くのを聴いたことがない。

❾ 彼らは先生になぜ彼らが宿題をしなければならないか教えて欲しかった。

❿ 彼女はときどき両親に叱られるけれど、彼らに愛されていると感じている。

使用語句：①航空券 air ticket　②サンタクロース Santa Claus　④樫 oak
⑧居間 living room　⑩叱る scold

ワンポイントアドバイス　①関係代名詞主部と疑問詞＋to不定詞のコンビネーション。②when節がthat節を含み、主節では、不定詞の名詞的用法を使います。③whichの疑問文で、関係詞を使用。④受身の文の主語が関係詞節に修飾されます。⑤関係詞主部で現在完了が用いられ、後半で、最上級、関係代名詞、現在完了のトリプルが表れます。⑥逆説の従属節で不定詞の副詞的用

❶ A friend of mine who has been abroad many times told me where to buy a cheap air ticket.

❷ The child began to cry when he ［she］ knew that Santa Claus was actually his ［her］ father.

❸ Which is the house where ［in which］ she lives?
—That one（is）.

❹ The table where ［on which］ he put his bag is made of oak.

❺ The house where ［in which］ he has lived since he was a child is the biggest house（that）I have ever seen.

❻ Although she went to America to learn English, her English is worse than mine.

❼ I don't understand why you think（that）you are too old to study English.

❽ I have never heard her play the piano which ［that］ has been in the living room since she was a child.

❾ They wanted their teacher to tell them why they had to do their homework.

❿ Although she is sometimes scolded by her parents, she feels loved by them.

法（目的）、主節では比較を使います。⑦why の疑問文内で、that 節、too〜to 文型を使用します。⑧現在完了、知覚の原形不定詞、関係代名詞のトリプル。⑨SVO＋to 不定詞と間接疑問文のコンビネーション。⑩受身を含む逆接の従属節を伴う文。主節では一般動詞の SVC を使います。

18

Part2 中学１・２・３年＋α
文型コンビネーショントレーニング

DISC❷TRACK48

❶ 誰が、みんなが見るのを楽しんでいたその木を切り倒してしまったのですか？

❷ 両親は彼女に、結婚するには若すぎると言うけれども、彼女は２年間付き合っている恋人と結婚するだろう。

❸ 彼女は恋人のために作ったケーキを少し（いくらか）弟に食べさせてやった。

❹ 彼は３年乗っている車を誰かに買ってもらいたがっている。

❺ 君がその本を読み終わったら（終わったとき）、僕に貸して欲しい。

❻ 雨がやんだら（止むとき）、公園に行こう。

❼ 彼は英語の得意な友人に一緒にアメリカに行って欲しかった。

❽ 君は先月買ったばかりの車をもう売ってしまったのかい？

❾ とても疲れていると感じているその学生は、先生が彼にするように言った宿題をやらずに寝た。

❿ 彼がいつその仕事を終えるか知っている人は誰もいない。

使用語句：①切り倒す cut down　②～と付き合う go out with～

ワンポイントアドバイス ①who の疑問詞主語文です。目的語が関係代名詞節で修飾され、動名詞もミックスされています。 ②逆接の従属節の中で、that 節と too～to 文型、主節では関係代名詞の目的格を使います。 ③使役の原形不定詞、関係代名詞、SVO＋for のトリプル。 ④SVO＋to 不定詞ですが、現在完了を含む関係代名詞がミックスされています。 ⑤when 節と SVO＋to 不定詞のコ

❶ Who cut down the tree (which/that) everyone enjoyed seeing?

❷ Although [though] her parents tell her that she is too young to get married, she will marry a boyfriend (whom / that) she has been going out with for two years.

❸ She let her brother eat some of the cake (which/that) she made for her boyfriend.

❹ He wants someone to buy the car (which/that) he has been driving for three years.

❺ I want you to lend me the book when you finish reading it.

❻ Let's go to the park when it stops raining.

❼ He wanted his friend who speaks English well to go to America with him.

❽ Have you already sold the car (which/that) you bought only last month?

❾ The student who felt very tired went to bed without doing the homework (which/that) the teacher told him to do.

❿ No one knows when he will finish the work.

ンビネーション。⑥let's〜と、when 節のコンビネーション。⑦SVO＋to 不定詞の O が関係代名詞節に修飾されている文です。⑧現在完了と関係代名詞の組み合わせ。⑨関係代名詞、一般動詞の SVC、動名詞のトリプル。⑩no one と間接疑問文。

19

文型コンビネーショントレーニング

DISC❷TRACK49

❶ 彼は朝起きたとき、天気がいいことを知って（みつけて）嬉しくなった（嬉しく感じた）。

❷ 息子をプロ野球選手にしたいその男は息子を毎朝走らせた。

❸ 彼は彼が尊敬する作家が書いた本を僕に読ませようとする。

❹ 母親が先生であるその少女は先生になりたがっている。

❺ 彼は道に迷った老人に駅への行き方を教えてあげた。

❻ 彼女は外国に何度も行ったことがある友人を羨ましがっている。

❼ 彼は友人がその前の月に買った車を彼に運転させてくれるように頼んだ。

❽ 彼にこの仕事をやらせることはとても難しいだろう。

❾ 生徒たちに好かれているその先生は生徒たちを教えるのが大好きだ。

❿ その作家は、あなたが先週読んだ小説を、18歳のときに書いたのですよ。

使用語句：②プロ野球選手 professional baseball player　③尊敬する admire　作家 writer　⑤道に迷う get lost　⑥羨ましがる envy　⑩小説 novel

ワンポイントアドバイス　①when節、一般動詞のSVC，不定詞の副詞的用法（感情の原因）のトリプル。②関係代名詞と使役動詞makeの導く原形不定詞のコンビ—ネーション。③不定詞の名詞的用法、使役の原形不定詞、関係代名詞のトリプル。④関係代名詞（所有格）主部と、不定詞の名詞的用法のコンビネーション。⑤SVOO（二重目的語）の文の中に、関係代名詞、疑問詞＋to

❶ When he got up in the morning, he felt happy to find (that) it was sunny.

❷ The man who wanted to make his son a professional baseball player made him run every morning.

❸ He tries to make me read the books (which/that) the writer (whom/that) he admires wrote.

❹ The girl whose mother is a teacher wants to be a teacher.

❺ He told an old man who had got lost how to get to the station.

❻ She envies her friend who has been abroad many times.

❼ He asked his friend to let him drive the car (which/that) he had bought the month before.

❽ It will be very difficult [hard] to make him do this job.

❾ The teacher who is liked by his students likes teaching them very much.

❿ The writer wrote the novel (which / that) you read last week when he [she] was eighteen.

不定詞が織り込まれています。⑥関係代名詞と現在完了（経験）が使われます。⑦SVO＋to 不定詞、使役動詞が導く原形不定詞、関係代名詞、過去完了と盛り沢山。⑧形式主語 it と、原形不定詞のミックス。⑨受身を含む関係代名詞主部と、動名詞の組み合わせ。⑩関係代名詞と when 節のコンビネーション。

20

Part2 中学１・２・３年＋α
文型コンビネーショントレーニング

DISC❷TRACK50

❶ 彼はその少年にどこでそのおもちゃを買ったのか聞こうとした。

❷ 野菜が好きでないその少年は弟に自分のほうれん草を食べさせようとした。

❸ 毎日夜更かしするその学生にとって、朝早く起きるのは辛い。

❹ 私が注文した本が来たら（来たとき）、私に電話してください。

❺ 先週交通事故で怪我をしたその女性はいつ退院しますか？

❻ 私は彼が「明日は雪が降るだろう。」と言うのを聞いた。（間接話法で）

❼ あなたは彼女があなたの知らない男性と歩いているのを見ましたか？

❽ 彼が割った窓がちょうど直されたところです。

❾ 彼がなぜ医者になろうとしているのか教えてくれますか？

❿ お兄さんがアメリカにいるその少年はこの夏アメリカを訪れるつもりだ。

使用語句：①おもちゃ toy　②野菜 vegetable ほうれん草 spinach　③夜更かしをする stay up late（at night）　④注文する order　⑤交通事故 car accident 怪我をさせる injure　退院する leave hospital

ワンポイントアドバイス　①不定詞の名詞的用法と間接疑問文。②関係代名詞主部と使役の原形不定詞のコンビネーション。③形式主語 it の文。関係代名詞とミックス。④主節は命令文。when 節で関係代名詞の目的格を使います。⑤未来の will の疑問文。関係代名詞主部を持ちます。⑥知覚の原形不定詞

❶ He tried to ask the boy where he had bought the toy.

❷ The boy who did not like vegetables tried to make his brother eat his spinach.

❸ It is hard for the student who stays up late every day to get up early in the morning.

❹ Please call me when the book (which/that) I ordered comes.

❺ When will the woman who was injured in the car accident last week leave the hospital?

❻ I heard him say (that) it would snow the next day.

❼ Did you see her walking with a man (whom/that) you did not know?

❽ The window (which/that) he broke has just been fixed.

❾ Will you please tell me why he is trying to be a doctor?

❿ The boy whose brother is in America is going to visit America this summer.

と that 節のコンビネーション。 ⑦現在分詞と、関係代名詞の目的格のコンビネーション。 ⑧現在完了の文の主語が関係代名詞に修飾されています。 ⑨間接疑問文と不定詞の名詞的用法の組み合わせです。 ⑩関係代名詞（所有格）主部と be going to のコンビネーション。

21

Part2 中学１・２・３年＋α
文型コンビネーショントレーニング
DISC❷TRACK51

❶ 雪がたくさん降ったその日、この道でいくつか事故が起こりました。

❷ ライオンを見たことがないその子供たちは動物園に行ったら驚くでしょうか？

❸ たくさんの難しい漢字が使われているその本は、彼が読むには難しすぎる。

❹ 毎日夜更かしするその男性は、コーヒーを１杯飲まないと目が覚めない（起きていると感じない）。

❺ その少年は、お兄さんがパンを買うのを見たとき、自分にも少し（いくらか）食べさせてくれとお兄さんに頼んだ。

❻ 漫画の本が欲しかったその子は、お父さんが絵本を持って帰ってきたとき、泣き出した。

❼ たくさんの言葉を話すその旅人は、今までにいくつの国を訪れたのかしら？

❽ 彼女の作ったケーキを食べた恋人はそれをとても美味しいと思った。（find を使って）

❾ 母は忙しいので、（僕が）使った皿を洗うようにと僕に言った。

❿ あなたが料理をするのを手伝ってくれる夫と、あなたの代わりに、毎日家を掃除してくれる夫では、どちらが(より)役に立ちますか？

使用語句：③漢字 Chinese character　④夜更かしをする stay up late（at night）
⑥漫画の本 comic book　絵本 picture book　⑧（男の）恋人 boyfriend

ワンポイントアドバイス　①関係副詞、there are～の組み合わせ。②未来の will の疑問文。受身が使われます。③too～to 文型の文が、関係詞主部を持ちます。④関係代名詞、一般動詞の SVC、前置詞＋動名詞のトリプル。⑤when 節で原形不定詞、主節で、SVO＋to 不定詞、原形不定詞が使われます。⑥関係代名詞、不定詞の名詞的用法、when 節のトリプル。⑦how many～の疑問文。

❶ There were several accidents on this road on the day when it snowed a lot.

❷ Will the children who have never seen lions be surprised when they go to the zoo?

❸ The book in which many difficult Chinese characters are used is too difficult for him to read.

❹ The man who stays up late every day does not feel awake without having a cup of coffee.

❺ When the boy saw his brother buy bread, he asked him to let him eat some of it.

❻ The child who wanted a comic book began to cry when her ［his］ father brought back a picture book.

❼ I wonder how many countries the traveler who speaks many languages has visited.

❽ Her boyfriend, who ［that］ ate the cake （which/that） she made, found it very delicious.

❾ As my mother was busy, she told me to wash the dishes （which/that） I used.

❿ Which is more useful, a husband who helps you cook or one who cleans the house for you every day?

時制は現在完了。関係代名詞主部です。 ⑧関係代名詞節の中に、もう１つの関係代名詞節が入り込みます。全体は、SVOC の文型。 ⑨理由を表す従属節と、SVO＋to 不定詞のコンビネーション。 ⑩which の疑問文。関係代名詞を２回使います。

22

Part2 中学１・２・３年＋α

文型コンビネーショントレーニング

DISC❷TRACK52

❶ 10 年前に撮った写真の中では、妻は私よりやせている。

❷ 壁を赤く塗ったその少年は、お父さんが帰って来たとき叱られた。

❸ 君に先週貸した本を明日うちに来るときに持ってきて欲しいんだ。

❹ 誰がその車を盗んだのかを知るのは不可能だと私は思う。
（「思う」に find を使用）

❺ 一生懸命英語を勉強している私の友人は、オーストラリアで 1 年を過ごした別の友人よりずっと上手に英語を話す。

❻ どうやってその箱を開ければよいのかわからなかったので、その子はお母さんが帰って来るのを待たなければならなかった。

❼ ここに来年図書館が建てられるということを聞きましたか？

❽ 僕らがよく泳いだ川は、学校から遠くなかったのをおぼえているか？

❾ 彼がやってくるその日、私はあなたに家にいて欲しい。

❿ 何歳なのか訊かれたとき、本当は 40 歳なのに、彼女は 29 歳だと答えた。

使用語句：①やせている thin

ワンポイントアドバイス ①比較と過去分詞のコンビネーションです。②関係代名詞、SVOC、受身、when 節と、盛り沢山の文。 ③SVO＋to 不定詞、関係代名詞、when 節のトリプル ④形式目的語 it と関節疑問文のコンビネーション。 ⑤関係代名詞のダブルと比較の文 ⑥従属節と疑問詞＋to 不定詞、

❶ My wife is thinner than me [I] in the picture taken ten years ago.

❷ The boy who [that] painted the wall red was scolded by his father when his father came home.

❸ I want you to bring the book (which / that) I lent you last week when you come to my house tomorrow.

❹ I find it impossible to find out who stole the car.

❺ A friend of mine who [that] is studying English hard speaks English much better than another friend who [that] spent a year in Australia.

❻ As he [she] didn't know how to open the box, the child had to wait for his [her] mother to come home.

❼ Did you hear that a library will be built here next year?

❽ Do you remember that the river where we often swam was not far from our school?

❾ I want you to be (at) home on the day when he comes.

❿ When she was asked how old she was, she answered that she was twenty-nine although [though] she was actually forty.

have to を使います。 ⑦that 節と受身のコンビネーション ⑧that 節と関係副詞の組み合わせ ⑨関係副詞、SVO＋to 不定詞のミックス ⑩when 節、間接疑問文、that 節、従属節のカルテット。

23

Part2 中学１・２・３年＋α

文型コンビネーショントレーニング

DISC❷TRACK53

❶ 彼女がフランス滞在中に描いた絵はみんなに賞賛された。

❷ 彼が読んでいる本は、有名な作家に書かれたのですか？

❸ 僕が昨夜書き上げた小説を君に読んで欲しいんだ。

❹ 父が僕に読めと言った本は難しかったが、僕は最後まで読んだ。

❺ クラスの他の誰よりも英語をよく読みたいと思っているその少年は、夜遅くまで勉強した。

❻ 母親がどこに行くのかと尋ねると、彼は毎週読んでいる雑誌を買いに本屋に行くのだと答えた。

❼ ロシア語は難しすぎて覚えられないので、もっと簡単な外国語を勉強しようと思っているんだ。

❽ 彼の父親は彼に医者になって欲しいと思っているが、彼は子供の頃からずっとピアニストになりたいと思っている。

❾ 昨日とても悲しそうだったその少女が今日は幸せそうなのはなぜだろう。

❿ 子供たちに好かれているその老人は、彼らに、彼らの知らない話をしてやる。

使用語句：①賞賛する admire　②作家 writer　③小説 novel

ワンポイントアドバイス ①関係代名詞と受身の組み合わせの文です。②関係代名詞と受身の組み合わせ　③SVO＋to 不定詞と関係代名詞のコンビネーション　④従属節、関係代名詞、SVO＋to 不定詞のトリプル　⑤関係代名詞主部に比較が織り込まれています。⑥when 節、間接疑問文、that 節、不定詞の副詞

❶ The picture (which / that) she painted while she was staying in France was admired by everybody [everyone].

❷ Was the book (which / that) he is reading written by a famous writer?

❸ I want you to read the novel (which / that) I finished writing last night.

❹ Although [though] the book (which / that) my father told me to read was difficult, I read it to the end.

❺ The boy who [that] wanted to read English better than anybody else in the class studied till late at night.

❻ When his mother asked him where he was going, he answered that he would go to the bookstore to buy a magazine (which / that) he read every week.

❼ As [Since] Russian is too difficult to learn, I think (that) I will study a foreign language that is easier.

❽ Although [though] his father wants him to be [become] a doctor, he has wanted to be a pianist since he was a child.

❾ I wonder why the girl who [that] looked very sad yesterday looks happy today.

❿ The old man who is liked by children tells them stories (which / that) they don't know.

的用法、関係代名詞の五重奏　⑦従属節、too～to、that 節のトリプル。
⑧従属節、SVO＋to 不定詞、現在完了、不定詞の名詞的用法のカルテット。
⑨間接疑問文、関係代名詞、一般動詞の SVC のトリプル　⑩関係代名詞、受身のコンビネーション

24

Part2 中学１・２・３年＋α

文型コンビネーショントレーニング

DISC❷TRACK54

❶ お母さんが作ったケーキはとても良い匂いがする。

❷ その老人は死ぬ前に、人生で最初に愛したその女性に会いたいと思った。

❸ 何回説明したらわかるの？（私はあなたがそれを理解する前に、何度あなたに説明しなければならないのか？）

❹ アメリカに３年間住んでいた少女は通訳になりたいと思っているのですか？

❺ お母さんがイギリス人のその少女は、いつか母が生まれ育った国を訪れたいと思っている。

❻ 私の上司が会社でする唯一のことはくだらない冗談をいうことである。

❼ 妻にどうしてそんなに遅く帰宅したのか聞かれたとき、彼は同僚たちと飲みに行ったのだと答えた。

❽ 彼女は、駅のそばで毎朝会うハンサムな青年に恋人がいるのか知りたがっている。

❾ 彼らは１度も日本を出たことがないその生徒が、なぜそんなに上手に英語を話せるのか知りたがった。

❿ ほんの１年前に英語を習い始めたばかりの私の娘は、今はかなり流暢にそれを話す。

使用語句：④通訳 interpreter　⑥くだらない冗談を言う tell a silly joke　⑧ハンサムな handsome　⑩流暢に fluently

ワンポイントアドバイス　①関係代名詞と一般動詞の SVC のコンビネーション　②不定詞の名詞的用法、関係代名詞、従属節のトリプル　③have to、従属節のミックス　④関係代名詞と不定詞の名詞的用法の組み合わせ　⑤関係代名詞と不定詞の名詞的用法　⑥関係代名詞と不定詞の名詞的用法のコンビネー

❶ The cake（that /which）my mother made（baked）smells very good.

❷ The old man wanted to see the first woman（whom / that）he loved in his life before he died.

❸ How many times do I have to explain it to you before you understand（it）?

❹ Does the girl who［that］lived in America for three years want to be［become］an interpreter?

❺ The girl whose mother is English wants to visit the country where her mother was born and raised some day.

❻ The only thing (that) my boss does at the office is (to) tell silly jokes.

❼ When he was asked why he came home so late by his wife, he answered that he went for a drink with his colleagues.

❽ She wants to know if the handsome guy（whom/that）she sees near the station every morning has a girlfriend.

❾ They wanted to know why the student who［that］had never left Japan could speak English so well.

❿ My daughter, who began［started］to learn English only a year ago, now speaks it pretty fluently.

ション　⑦when 節、間接疑問文、that 節のトリプル。⑧関係代名詞、不定詞の名詞的用法、間接疑問文のトリプル　⑨不定詞の名詞的用法、間接疑問文、関係代名詞のトリプル　⑩関係代名詞と不定詞の名詞的用法のコンビネーション。

25

文型コンビネーショントレーニング

DISC❷TRACK55

❶ 先月日本に来たばかりのその外国人は私に日本語のレッスンをしてくれと頼んだ。

❷ 壁にかかっているあの絵は僕が生まれたときからあそこにあるんだ。

❸ ついに彼らは娘を５年間付き合っているその男と結婚させてやることに決めた。

❹ 僕の親父は、自分が面白いと思う（find を使用）本を僕に読ませようとするんだ。

❺ 彼が書いたその小説は多くの人には難解すぎて読めない。

❻ 僕は君に、今度はいつ来るのか彼女に聞いて欲しいんだ。

❼ 君がとても美味しいと思った（find 使用）クッキーは僕のいとこに焼かれたのだ。

❽ 彼女はいつもきれいにしておく部屋を、他人に使われたくない。

❾ 彼は３年間文通しているアメリカ人の女の子と会うために、英語学校で勉強していると、私たちに言った。

❿ 彼は、長い間一緒に暮らしていた女の子と、なぜ別れてしまったのだろう。（wonder を使用）

使用語句：①レッスンをする give a lesson　③～と付き合う go out with～　⑦焼く bake　⑨～と文通する correspond with～　⑩～と別れる break up with～

ワンポイントアドバイス　①関係代名詞と SVO＋to 不定詞のコンビネーション　②関係代名詞（または分詞）と現在完了のミックス　③不定詞の名詞的用法、使役の原形不定詞、前置詞を伴う関係代名詞のトリプル　④不定詞の名詞的用法、使役の原形不定詞、関係代名詞、SVOC のカルテット　⑤関係代名詞と

❶ The foreigner who came to Japan only last month asked me to give him [her] Japanese lessons.

❷ The picture which [that] hangs on the wall has been there since I was born. / The picture hanging on the wall has been there since I was born.

❸ Finally they decided to let their daughter marry the guy (whom / that) she had been going out with for five years.

❹ My father tries to make me read books (which/that) he finds interesting.

❺ The novel (which/that) he wrote is too difficult for many people to read.

❻ I want you to ask her when she will come next time.

❼ The cookies (that / which) you found very good (delicious/tasty) were baked by my cousin.

❽ She doesn't want her room (which / that) she keeps clean to be used by others.

❾ He told us (that) he was studying at an English school to meet an American girl (whom) he had been corresponding with for three years.

❿ I wonder why he has broken up with the girl (whom/that) he has lived with for a long time.

too～to のコンビネーション　⑥SVO＋to 不定詞と間接疑問文のミックス　⑦関係代名詞、SVOC、受身のトリプル　⑧SVO＋to 不定詞、関係代名詞、SVOC、受身のカルテット　⑨前置詞を伴う関係代名詞、過去完了、不定詞の副詞的用法のトリプル　⑩前置詞を伴う関係代名詞と間接疑問文

26

Part2　中学１・２・３年＋α

文型コンビネーショントレーニング

DISC❷TRACK56

❶ 僕の10年来の知り合いである男性は自分のビジネスを始めるために来月現在勤めている会社を辞める予定だ。

❷ その店に行ったとき、彼女は自分が買いたいと思っていた服が誰か他の人に買われてしまったのを知った。

❸ 僕が先週一緒に映画を観に行った女の子は、昨日は僕の知らない誰か他の奴とドライブに行った。

❹ 彼が何かを隠していた箱を開けた彼の弟は、中にあるものを見て驚いた。

❺ 彼女は彼が美しい女の人と喫茶店から出てくるのを見たと言ったが、それはとても本当には聞こえなかった。

❻ 僕が釣った（捕まえた）魚は僕が外出している間に、野球の試合から帰ってきた弟に食べられてしまった。

❼ いとこがイタリアに住んでいる僕の友人は今年の夏恋人と共にイタリアに行くつもりだと言っている。

ワンポイントアドバイス　①関係代名詞、現在完了、be going toのトリプル　②when節、that節、関係代名詞、受身が盛り込まれた文です。　③関係代名詞のダブル　④関係代名詞、関係副詞（または前置詞を伴う関係代名詞）、不定詞の副詞的用法を使う、盛り沢山のコンビネーション文です。　⑤従属節でthat

❶ A man whom I have known for over ten years is going to quit the company (which/that) he now works for next month to start his own business.

❷ When she went to the store, she found that the clothes (which/that) she wanted to buy had been bought by someone else.

❸ The girl (whom/that) I went to the movies with last week went for a drive with some other guy (whom/that) I don't know yesterday.

❹ His brother, who opened the box where [in which] he concealed something, was surprised to see what was inside.

❺ Although she said that she had seen him come out of a coffee shop with a beautiful woman, it didn't sound true at all.

❻ The fish (which/that) I caught was eaten by my brother, who came back from a baseball game, while I was away.

❼ A friend of mine whose cousin lives in Italy says that he is going to go there this summer with his girlfriend.

節、知覚の原形不定詞のコンビネーション、主節で一般動詞の SVC を使います。⑥関係代名詞のダブル、受身の文。 ⑦関係代名詞、that 節、be going to を使う複雑な文。

⑧ 先生が読めと言った本を借りに図書館に行ったその学生は、途中で旧友に会った。

⑨ 彼は昼食を作るのに必要な胡椒を買いに外出したが、スーパーマーケットに着いたとき、何を買うのか思い出せなかった。

⑩ 家族の中では１番背の低いその少年は、クラスでは１番背が高い。

使用語句：①自分のビジネスを始める start one's own business　④隠す conceal　⑨胡椒 pepper スーパーマーケット supermarket

ワンポイントアドバイス　⑧もう１つの関係代名詞を含む関係代名詞の他、不定詞の副詞的用法、SVO＋to 不定詞を使います。 ⑨従属節で不定詞の副

❽ The student who went to the library to borrow the book (which / that) his teacher told him to read met an old friend on the way.

❾ Although [Though] he went out to buy pepper (which / that) he needed to cook lunch, he couldn't remember what to buy when he got to the supermarket.

❿ The boy who is the shortest in his family is the tallest in his class.

詞的用法と関係代名詞を用い、主節では、疑問詞+不定詞を使います。 ⑩関係代名詞と最上級のコンビネーション

27

Part2 中学１・２・３年＋α
文型コンビネーショントレーニング

DISC❷TRACK57

❶ 病気のために仕事に行けないと上司に電話した後、彼は前日買った釣り竿を持って海に行った。

❷ 彼が書いた詩を読んだ彼のガールフレンドは、１時間笑い続けた。

❸ 彼はその牛乳が飲めるだけ新鮮かわからなかったので、弟が学校から帰宅したときに飲ませてみた。

❹ 太郎より野球の上手な少年に会ったことがありますか？

❺ 警官に何をしているのかと尋ねられたその少年はできる限り速く走り始めた。

❻ 彼の妻が作る食事はあまり美味しくないが、彼はそれを彼女には言えない。

❼ 夫にくだらない雑誌を読むなというその女性は、テレビでくだらない番組を見るのが大好きだ。

ワンポイント アドバイス ①従属節、that 節、関係代名詞のトリプル ②関係代名詞、一般動詞の SVC のコンビネーション ③従属節で間接疑問文、～enough to…、主節で使役の原形不定詞、when 節を使います。④現在完了、

❶ After he called his boss to say that he could not go to work because he was ill, he went to the sea with the fishing rod (which/that) he had bought the day before.

❷ His girlfriend, who read a poem (which / that) he had written, kept laughing for an hour.

❸ Since [As] he didn't know if the milk was fresh enough to drink, he made his brother drink it when he came home from school.

❹ Have you ever met a boy who [that] plays baseball better than Taro?

❺ The boy who was asked what he was doing by a policeman began to run as fast as he could [possible].

❻ Although [Though] the food (which / that) his wife cooks isn't very tasty, he can't tell her that.

❼ The woman who [that] tells her husband not to read silly magazines loves watching silly programs on TV.

関係代名詞、比較のトリプル　⑤関係代名詞、受身、不定詞の名詞的用法、as〜as one can [possible] のカルテット　⑥従属節、関係代名詞のコンビネーション　⑦関係代名詞、否定のSVO＋to不定詞、動名詞のトリプル

❽ 外出するときに砂糖を買ってくるようにお母さんに頼まれたその少年は、お母さんはケーキを作るのだろうと思った。

❾ 友達が１人もいないその少年はよく、家の近くの丘の上で、ひとりぼっちで空を見ていたが、決して寂しいとは感じなかった。

❿ 彼が泳いで渡ったその川はとても深いので、子供たちはそこで泳がないように言われていた。

使用語句：①釣り竿 fishing rod　②詩 poem　③新鮮な fresh　⑦くだらない silly

ワンポイントアドバイス　⑧関係代名詞、受身のSVO＋to不定詞、be going toのトリプル　⑨従属節で関係代名詞、主節で一般動詞のSVCを使います。

⑧ The boy who [that] was asked to buy sugar by his mother when he went out thought that she was going to make a cake.

⑨ Although [Though] the boy who [that] had no friends was often looking up at the sky alone on the hill near his house, he never felt lonely.

⑩ As [Since] the river which [that] he swam across was very deep, children were told not to swim there.

⑩従属節、前置詞を伴う関係代名詞、受身のSVO＋to不定詞のトリプル

28

Part2　中学１・２・３年＋α
文型コンビネーショントレーニング

DISC❷TRACK58

❶ 私が一緒に英語を勉強していた女の子は大人になったら多くの国に行きたいと言っていた。

❷ 彼が２年前に書き始めた本はいつ書き上げられる（完成される）のか誰もわからない。

❸ 僕が子供の頃よく一緒に遊んだ少年たちの多くは、大人になると、仕事を求めて大都市に行った。

❹ 両親が働いているその子供は放課後時間をつぶすために図書館で他の子供が読まない本を読んだ。

❺ 僕の兄貴は、エミリーは僕が付き合うには気位が高すぎると言う。

❻ 彼女に、彼女が作ったケーキが甘すぎて僕は食べられないと言うと、彼女は誰かがそんなに失礼なことを言うのを聞いたことがないと言った。

❼ 母親がその知らせを聞いて喜ぶだろうと思っていた少年は、彼女が怒るのを見て驚いた。

ワンポイントアドバイス　①前置詞を伴う関係代名詞、that 節、不定詞の名詞的用法、when 節のカルテット　②間接疑問文、関係代名詞、不定詞の名詞的用法、受身を使う文です。　③前置詞を伴う関係代名詞、不定詞の副詞的用法、when 節のトリプル。　④関係代名詞のダブルと不定詞の副詞的用法のコンビネー

❶ The girl with whom I was studying English said that she wanted to go to many countries when she grew up.

❷ Nobody ［No one］ knows when the book （which / that） he began to write two years ago will be completed.

❸ Many of the boys with whom I often played when I was a child went to big cities to look for jobs when they grew up.

❹ The child whose parents worked read books （which / that） other children didn't read at the library to kill time after school.

❺ My brother says that Emily is too proud for me to go out with.

❻ When I told her that the cake （which / that） she had made was too sweet for me to eat, she said that she had never heard anybody say such a rude thing.

❼ The boy who ［that］ thought that his mother would be glad to hear the news was surprised to see her get angry.

ション　⑤that 節と too〜to…の組み合わせ　⑥when 節で that 節と too〜to…、主節で that 節、過去完了、知覚の原形不定詞を使う文。 ⑦関係代名詞、that 節、不定詞の副詞的用法、知覚の原形不定詞を織り込んだ文です。

❽ 学校でいじめられているその少年は、強くなるためにひそかにボクシングを半年以上練習している。

❾ 僕たちを見て走り去った犬は、僕たちがお昼を食べた公園でよく寝ています。

❿ 正直だと思っていたその男性が実は不正直だと知ったとき、私は人を理解するのは難しいと感じた。

使用語句：②完成する complete　⑤～と付き合う go out with　～気位が高い proud
⑥失礼な rude　⑧いじめる bully　ひそかに secretly
⑩正直な honest　不正直な dishonest

ワンポイントアドバイス　⑧関係代名詞、受身、不定詞の副詞的用法、現在完了のカルテット。⑨関係代名詞、when 節、関係副詞のトリプルコンビネー

⑧ The boy who [that] is bullied at school has been secretly practicing boxing for more than six months (half a year) to be [become] strong.

⑨ The dog which [that] ran away when it saw us is often sleeping in the park where we had lunch.

⑩ When I found out that the man who I thought was honest was actually dishonest, I felt that it is difficult [hard] to understand people.

ション。 ⑩when 節で that 節と関係代名詞、主節で that 節と形式主語を使う文。

29

Part2 中学１・２・３年＋α
文型コンビネーショントレーニング

DISC❷TRACK59

❶ 私が夕方周囲を走っている公園は、休日には多くの人に訪れられる。

❷ 長身に見えるシェフはしばしば、長い帽子を脱ぐと実際は小柄である。

❸ 犬のように生きるのは嫌だと言う私の夫は、うちの犬は家族の誰よりも幸せに暮らしているのを知らないのだ。

❹ 息子が冷蔵庫の中に何か食べるものがあるかと尋ねたとき、彼女はその中のパイを彼に見せる（let を使用）のはよくないだろうと思った。

❺ ３年前に外国に行ったその若者は、１度も日本で彼を待っている家族に手紙を書いていない。

❻ 私が彼に、りんごをあといくつ欲しいか訊いたとき、彼はもう１つも欲しくないと答えた。

❼ 僕が彼女の歯ブラシを使ったのを知ったとき、妹は激怒し、二度とするなと僕に言った。

❽ 結婚する前、私を幸せにすると約束した夫は、幸せが何であるのかわからないのだ。

❾ 昨日雨が降ったその町では、今日は晴れるだろうと、天気予報は言っている。

❿ 親にとって子供に自分が（親が）して欲しいと思うことをすべてやらせることは不可能である。

使用語句：②シェフ chef　④冷蔵庫 refrigerator　パイ pie　⑦歯ブラシ tooth brush

ワンポイントアドバイス　①前置詞を伴う関係代名詞と受け身のコンビネーション　②関係代名詞、一般動詞の SVC、when 節のトリプル　③関係代名詞、that 節、比較のトリプル　④that 節、間接疑問文、使役の原形不定詞を組み合わせた文です。　⑤関係代名詞のダブルと現在完了の文。　⑥when 節、間接疑問文、

❶ The park around which I run in the evening is visited by many people on holidays.

❷ Chefs who look tall are often actually small when they take off their long hats.

❸ My husband, who says (that) he doesn't want to live like a dog doesn't know that our dog lives more happily than anyone else in our family.

❹ When her son asked her if there was something to eat in the refrigerator, she thought (that) it would not be good to let him see the pie in it.

❺ The young man who went to a foreign country three years ago has never written to his family who [that] are waiting for him in Japan.

❻ When I asked him how many more apples he wanted, he answered that he didn't want any more.

❼ When my sister found out that I had used her toothbrush, she got very angry and told me never to do it again.

❽ My husband, who promised to make me happy before we got married, doesn't know what happiness is.

❾ The weather forecast says that it will be fine today in the town where it rained yesterday.

❿ It is impossible for parents to make their children do everything (that) they want them to do.

that 節のトリプル。 ⑦when 節、that 節、一般動詞の SVC、SVO＋to 不定詞のカルテット ⑧関係代名詞、不定詞の名詞的用法、SVOC、間接疑問文が盛り込まれた文。 ⑨that 節と関係副詞のコンビネーション ⑩形式主語、使役の原形不定詞、関係代名詞、SVO＋to 不定詞のカルテット

30

Part2 中学１・２・３年＋α
文型コンビネーショントレーニング
DISC❷TRACK60

❶ 僕は去年日本にやってきたアメリカ人の女の子に日本語を教えているけれども、彼女が日本語を覚えるのにどのくらいかかるか僕にはわからない。

❷ 今読んでいる本は、先週図書館で借りた本よりずっと面白い。

❸ 母は英語が話せないので、どんな食べ物が好きなのかトムに尋ねるよう僕に頼んだ。

❹ もし、彼女が帰る前（＝去る）に帰宅するなら、君たちは彼女が先週買った車を見ることができる。

❺ お母さんは（あなたが）ピアノを弾いている間、窓を閉めて置くようにあなたに言いませんでしたか？

❻ うちの猫がよく寝ている屋根に今日は私が今まで見たことのない猫がいる。

❼ 彼はその問題を解くためにはどの本を読めばよいか教えてくれるようにお父さんに頼んだ。

❽ 人々が以前に読んだことがない、面白い物語を書きたいと思っているその作家は、今その部屋で新しい小説を書いている。

❾ 母親が彼に部屋をきちんとしておきなさいと命じたとき、彼はなぜ弟にはそうしろと言わないのかと彼女に尋ねた。

❿ 自分の部屋で２時間仕事をしていた夫が居間に入ってきたとき、彼女はコーヒーを入れて欲しいかと訊いた。

使用語句：⑩居間 living room

ワンポイントアドバイス ①接続詞 although に導かれる従属節で関係代名詞を、主節には間接疑問文、形式主語 it を使います。 ②比較を軸とする文で、２つの関係代名詞節を用います。 ③接続詞asに導かれる従属節、SVO＋to不定詞、間接疑問文のトリプル。 ④if 節の中でさらに before に導かれる時を表す条件節が現われ、主節で関係代名詞を使います。 ⑤SVO＋to 不定詞、SVOC、時を表す

❶ Although I teach Japanese to an American girl who [that] came to Japan last year, I don't know how long it will take her to learn it.

❷ The book I am reading now is much more interesting than the one (which / that) I borrowed at the library last week.

❸ As my mother didn't speak English, she asked me to ask Tom what food he liked.

❹ If you get home before she leaves, you will be able to see the car (which / that) she bought last week.

❺ Didn't your mother tell you to keep the window closed [shut] while you were playing the piano?

❻ There is a cat (which / that) I have never seen before on the roof today where [on which] my cat is often sleeping.

❼ He asked his father to tell him what book to read to solve the problem.

❽ The writer who [that] wants to write an interesting story (which / that) people have never read before is now writing a new novel in the room.

❾ When his mother told him to keep his room tidy, he asked her why she didn't tell his brother to do so.

❿ When her husband, who had worked in his room for two hours, came into the living room, she asked him if he wanted her to make some coffee for him.

従属節のトリプル。全体は否定疑問文です。⑥関係代名詞、関係副詞、現在完了のトリプル。⑦SVO＋to 不定詞、疑問詞＋to 不定詞、不定詞の副詞的用法のトリプル。⑧現在完了、関係代名詞のコンビネーション。⑨when 節で SVO＋to 不定詞と SVOC、主節で間接疑問文、SVO＋to 不定詞を用いる文です。⑩when 節で関係代名詞と過去完了を、主節で間接疑問文と SVO＋to 不定詞を使います。

あとがきにかえて

本書を使う学習者へのいくつかのアドバイス

音読との併用が効果を確実にする

瞬間英作文は、既に知っている文型を使いこなせるようにすることに大きな効果を持ち、実際の会話能力への橋渡し、基礎となる力を養います。しかし、外国語の使用能力とは、ある部分だけが単独に向上するのではなく、各側面は互いに関連しながら、その結果総体的な力が伸びて行くのです。ですから、あるトレーニングの効果を享受するためには、近接するトレーニングの実践も大切なことです。

瞬間英作文と近接するトレーニングは音読です。両者は、既に持っている知識を実際に稼働させるのに、大きな効果を発揮します。

音読トレーニングをやりこみながら、会話能力を伸ばすことに苦しんでいた時、瞬間英作文で突破口を開いた私自身の体験は、前著『どんどん話すための瞬間英作文トレーニング』の「私自身の瞬間英作文回路獲得体験」で詳しく書きました。

私の場合、瞬間英作文トレーニングを始めてから半年ほどで、中学英語が自在に使いこなせるようになりました。つまり第2ステージが完成したわけです。しかし、瞬間英作文回路がこれほど短期に完成した要因の1つは、約3年間1日平均数時間やりこんでいた音読でした。この音読トレーニングで、構文、語彙、フレーズなどが、確実にストックされていたからです。

しかし、私自身の体験や生徒の指導経験からすると、英語を日常的に話す機会がない平均的な素質の日本人学習者が、音読だけで英語を話せるようになるのはなかなか困難なようです。英語を話すための回路獲得のためには、初期に第1ステージで行うように、同じ文型での英作文を連続的に行うことが必要で、これが膨大なストックに火をつける点火装置のような役割を果たしてくれます。

一旦回路ができてからは、音読で得たストックは、その真価を十分に発揮します。私の場合、回路を獲得してからは、音読によるストックが堰を切ったように、回路に乗ってどんどん外に出てくるようになりました。また、不思議なことに、6〜7年も以前、受験期に、長文の英文解釈や文法問題集の音読で取り込んだまま、音読したことさえ忘れていた文の一節やフレーズが、口をついて出てくるということが何度も起こりました。1度目にしたり、読んだことは決して完全に忘れ去られることはなく、無意識層に貯蔵されているという説の正しさを、身をもって確かめたわけです。

音読によるストックの必要性を、私はフランス語の学習で、英語学習のときとは逆の体験で痛感することになりました。大学ではフランス文学科に在籍していた私ですが、フランス語はほとんど勉強せずに中退してしまいました。30歳代後半で、ほとんどゼロからやり直したのですが、自分のメソッド通り、文法、基礎語彙、基本的な読解力を身につけた後、知識の稼働に取り掛かることにしました。この際、英語習得の時の、絶大な効果に味をしめていたので、早期に会話能力を高めようと、音読よりも、瞬間仏作文（フランス語ですので）主体のトレーニングを進めました。もくろみ通り、瞬間仏作文回路は、ほどなく出来上がったのですが、問題が起こりました。

使用語句が示されている整序作文や、基本短文の和文仏訳は反射的にできるようになったのですが、まとまったことを、自由に言おうとする時、使おうとする文型が頭の中で用意できているのに、そこに差し込む単語・フレーズが見つからず、宙を掻くような状態に陥るのです。十分に音読をしていないことから来るストック不足が原因でした。

読解や機械的な作文と違い、外国語で自由に話そうとする時には、自分で自由に使える単語やフレーズ、即ちアクティブ・ボキャ（運用語彙）が必要になります。このアクティブ・ボキャは、1種類の切手を1枚ずつ、重複なく綺麗に切手帖に並べるような一見合理的なアプローチでは獲得できないものなのです。アクティブ・ボキャを作るためには、同じ単語・フレーズを、異なる文、文脈で何十回、何百回と口にすることにより、無意識層で単語・フレーズが何重にも重複しながら、押し合い、へし合いをしている状態を作ることが必要です。そうして初めて、なにかを言おうとする時、必要な語句が、引き出すまでもなく、押し出され、自ら飛び出してくるようになります。そして、このような状態を作るためには音読が効果的なのです。原因はすぐにわかったので、私は遅ればせながら、フランス語の音読に精を出し始めました。そして、程なく自分の基礎力に相応しいレベルの会話もできるようになりました。

知っている文型で反射的に英文を作れるようにする瞬間英作文は、英文の発射装置、つまり銃を作るトレーニングです。それに対して英語のストックを増やし、また、その人の英語力全体を底上げする音読は、弾薬、及び、重い銃を扱うのに必要な筋肉を増やすトレーニングと言えるでしょう。アクティブ・ボキャ不足でフランス語の会話が繋がらなかった私は、弾薬の入っていない銃で、空砲を撃っていたというわけです。

銃と弾薬の両方を揃えるために、瞬間英作文のトレーニングを積むと同時に、ぜひ音読を並行して行い、必要なストックを蓄積してください。

何冊やればいい？症候群からの脱却

英語学習の指導をしていると、必要な学習量についての質問をよく受けます。単語は何語覚えればいいのか？リスニングにはCDを何枚聴けばよいのか？そして、瞬間英作文トレーニングについては、テキストを何冊やれば、第1ステージが、あるいは、第2ステージが完成するのか、という質問です。

これは、解答不能な質問です。1冊のテキストから得られる効果は、学習者が音読などから蓄積したストック、適性、年齢、その他の要素により異なるからです。また、解答不能であるだけでなく、こうした問いを発する意識は、テキストの数ばかりにこだわり、トレーニングの成果という本来の目的から目をそらしてしまう恐れがあります。こうした質問を受けた時、私は、まず何よりも冊数に対する無用のこだわりを捨てることをアドバイスします。

アルゼンチンの作家ホルへ・ルイス・ボルヘスの作品に「砂の本」という短編があります。この物語では、不思議な本について語られます。この本には、始まりも終わりもなく、二度と同じ頁を読むことができず、また、無限に読み続けることができるのです。

私は、よく、瞬間英作文用の「砂の本」があれば、と夢想します。その本は、どの頁を開いても、基本文型による瞬間英作文の問題が載っているのです。1度閉じてしまうと、二度と同じ問題を見ることができません。しかし、どの頁を開いても、限られた基本文型を使った問題が載っているのです。こうして、学習者は、何冊やればいいのかという不毛な問を忘れ、何冊もテキストを買う手間、負担からも開放され、瞬間英作文トレーニングを淡々と行うことができます。無限の本ですから、すべての問題をやることは当然できません。しかし、無限の迷宮にはまりこんだまま、邪悪な呪いに掛けられたようにこの本から逃れられないということはありません。瞬間英作文回路が形成されるにつれ、確実に、問題から感じる負荷が軽くなってくるからです。やがて、どの頁を開いても、たちどころに英文が口をついて出てくるようになります。その時、学習者は、自ずと、この本に別れを告げる時が来たのを知ります。そして、この愛らしく、不可思議な本は、そっと本立てに納められ、次の学習者が手に取るまで、しばしの眠りにまどろみます…

もちろん、実際にはこのような本は存在しません。しかし、本当の「邪悪な呪い」である「何冊やればいい?」という意識を捨ててしまえば、現実の世界でも、同じように快適で成功の約束された手順があります。1冊のテキストを終えれば、次のテキスト、それが終わればまた次、というようにテキストのお代わりをしていけばいいのです。これは辛い作業ではありません。1冊ごとに、負荷が軽くなっていくからです。やがて、書店に行き新しいテキストを手にとって開いてみても、反射的に英文が組み立てられるようになっているでしょう。瞬間英作文回路が完成しているということです。そのときは、感慨と共に、そっと、そのテキストを書棚に戻せばいいでしょう。

書棚に戻したそのテキストまでにこなしたテキストの数が、その人にとっての必要冊数だったのです。それは、人によって違うものになるでしょう。物事にはすべて個人のペースがあります。どれだけやれば、何冊のテキストをこなせばものになるのか、ということは実際にトレーニングを行って初めて、その行程の果てで、結果的にわかるものです。ぜひ、あなた自身にとって必要な冊数を見つけ出してください。

複雑に見えることも、単純な基本の組み合わせに過ぎない

何事も基本が大切、などと言い出すと、なにを今さら、という声が聞こえてきそうです。なにせ、英語学習に限らず、スポーツ、楽器など、技術体系の習得を必要とする、およそすべての分野で強調され、繰り返される文句です。そして、耳にタコができるほど聞かされるにもかかわらず、この格言を実践し、それがもたらす喜ばしい報酬を享受する人の割合は少ないものです。なんの変哲もない基本を、しかし、丁寧に根気強く、体に刷り込んでしまうと、その単純な基本を組み合わせるだけで、一般の人には離れ業のように見えることがたやすく成せるようになります。

例えば、本書のコンビネーション編の英作文を、反射的に行うことは、基本文型が本当に身についていない人には、曲芸のように思えるかもしれません。あるいは、反射的とは言わず、ゆっくりでも構わないので、口頭で英作文を、と条件を和らげても、基本が危うい学習者には、まだ、ハードルが高いでしょう。私の教室でも、中級レベルに入っていくのに長く停滞したり、その前に諦めてしまう生徒のほとんどは、この基本文型のコンビネーションによる英作文の壁が越えられません。原因は単純に基本の欠如です。知的な興味をそそる長文読解やネイティブ・スピーカーでも知らないような難語を覚えることには熱心な一方、基本文型を、単純極まりない例文を使って刷り込んでいく作業には、全くやる気が出ないというタイプです。その背後には、高度（に見える）なことを行うためには、一足飛びの高度なテクニックがあるはずという考えがあります。しかし、彼らの想定に反して、一見高度で複雑なことを軽々と行う能力の構成要素は、感覚レベルでマスターされた基本技術一式に過ぎないのです。

素人目には、なぜこんなことができるのかということが、基礎レベルを押さえた人には、なんでもない、ということがあらゆる分野に存在します。例えば、将棋やチェス。一局を終えた後、何事もなかったように、最初の一手から最後の手まで、正確に駒を並べてリプレイして振り返る棋士が、超人的な記憶力でこれを行っているものと考え、我々は驚嘆します。しかし、ある程度のレベルに達した人にとっては、それはなんら驚くほどのことはないそうなのです。私の知人の、将棋のアマチュア有段者にその真偽を質すと、一定技量の棋士同士なら、基本の定跡・手筋に基づいた、一貫性のある棋譜になるので、それを辿ることは、なんら難しいことではないとのことでした。逆に、素人同士の定跡無視の支離滅裂な棋譜を辿るのは、純粋な記憶なので、専門家にもできないということです。

これは私にも合点の行くことでした。私の教室の、中級以上のクラスでは、長文読解の仕上げとして、読解した英文を、日本語訳からそっくり再生するというトレーニングを行います。これも基本さえ仕上がっていれば、さして難しいことではありません。英語には一定の文法・文型があるので、日本語の訳があれば、話の流れ・展開を辿って、使われていた文型、表現などを正確に並べなおすことは、たやすいからです。しかし、基本文型が感覚レベルで、身についていない人にとっては、定石をしらない素人にとっての棋譜の再生同様に、全くの記憶による技と映ってしまいます。

同じ例を、私はまた別の分野のエキスパートから伺った経験があります。私は、30 歳目前に、憧れていたタップ・ダンスを習ったことがあります。何回目かのレッスンの休憩時間、先生と談笑していました。その先生は、指導者としての仕事の傍ら、自らの技術の研鑽にも今尚熱心で、年に 1 回は、ニューヨークで本場のテクニックを学びに行くという方でした。私が、彼の地で彼女が受けるレッスンの内容を伺ったところ、インストラクターが1曲踊るのを生徒たちが1回見た後、全員が同じ振り付けを踊って、インストラクターが細かい指導をしていくのだというのです。

基本ステップでさえ、吊り糸の調整がおかしい操り人形のような動きになってしまう初心者の私は感嘆し、なぜ、複雑な振り付けを1回で覚え切れるのかと尋ねました。「そんなこと、なんでもないさ。」その優美な容姿とはアンバランスな、いなせな口調が魅力的な先生は、私の問に答えて言いました。「複雑って言ったって、基本ステップを組みあわせてるだけなんだから。それに、ちゃんとした振り付けなら、流れがあるじゃない。無理な組み合わせなんてあるもんじゃないのよ。1回で覚えて当然さ」。しかし、まだ完全には納得できない私はさらに尋ねました。「でも、振り付けを1回で覚えられない人って、いないんですか？」これに対しても、先生は涼しげに答えてくれました。「そりゃ、いるさ。でも、そういう人はダメね。先生もそういう人は無視さ。基本ができてないんだもん」彼女はそこで言葉を切りましたが、それ以上のことを尋ねる必要は私にもありませんでした。既に瞬間英作文トレーニングで成果を得て、基本の持つ無限の応用力を体験していた私には、離れ業の謎が氷解していたからです。正常な英語の文が一定の文法・文型に貫かれ、それから大きく逸脱しないように、タップダンスにも基本ステップの集積である「文法」があり、いかに複雑な振り付けも、この文法に基づいて構成されているので、基本をマスターしているダンサーには、振り付けを1回で覚えるのはなんでもないのです。「どんな分野でも、同じことなんだなあ」と感じ入った経験でした。

本書のシャッフル英作文や、コンビネーション英作文を複雑に感じたら、ぜひ、折に触れて、第1ステージの文型ごとの練習に戻ってみてください。プロのダンサーも、基本ステップの練習を欠かさず、プロ野球のプレーヤーは試合前の練習でキャッチボールを行います。こうした至高のレベルにいる人たちでさえ、初心者として初めて行った基本練習で、今尚、自分の技術をチェックし、ぶれを修正することを忘れないのです。発展途上真っ最中の一般の英語学習者が基本を繰り返すことは、なおさら重要で不可欠のことで、振り出しに戻るようなネガティブな感情を抱くことは無意味です。基本文型が感覚レベルで自分のものになったとき、シャッフル英作文や、コンビネーション英作文から感じる「重さ」は徐々に薄れていきます。そして、いずれ、以前はとてつもなく複雑で、難しいと思っていたことを、たやすくこなせるようになっている自分に気づくでしょう。

著者略歴

森沢洋介

1958年神戸生まれ。9歳から30歳まで横浜に暮らす。
青山学院大学フランス文学科中退。
大学入学後、独自のメソッドで、日本を出ることなく英語を覚える。
予備校講師などを経て、1989～1992年アイルランドのダブリンで旅行業に従事。
TOEIC スコアは985点。
ホームページアドレス　http://homepage3.nifty.com/mutuno/
[著書]『みるみる英語力がアップする音読パッケージトレーニング』『ポンポン話すための瞬間英作文 パターン・プラクティス』『どんどん話すための瞬間英作文トレーニング』『バンバン話すための瞬間英作文「基本動詞」トレーニング』『英語上達完全マップ』(ベレ出版)

(CD の内容) ◎DISC1　72分10秒　DISC2　68分34秒
◎ナレーション　Helen Morrison・久末絹代
◎DISC1 と DISC2 はビニールケースの中に重なって入っています。

CD BOOK スラスラ話すための瞬間英作文シャッフルトレーニング

2007年6月25日　初版発行
2020年5月6日　第39刷発行

著者	森沢洋介
カバーデザイン	OAK 小野光一
イラスト・図表	森沢弥生

発行者	内田真介
発行・発売	ベレ出版 〒162-0832 東京都新宿区岩戸町12レベッカビル TEL 03-5225-4790 FAX 03-5225-4795 ホームページ http://www.beret.co.jp/ 振替 00180-7-104058
印刷	三松堂株式会社
製本	根本製本株式会社

ISBN978-4-86064-157-3 C2082　　編集担当　綿引ゆか